オレクサンドラ・スクヴォルツォヴァ

西田 孝広

サーシャ、ウクライナの話を聞かせて

Українка про Україну

はじめに

私の本名は、オレクサンドラといいます。「サーシャ」は、ウクライナにおける女性名オレクサンドラや男性名オレクサンドルの愛称です。私の家族や友人はみな私のことを「サーシャ」と呼びます。

自己紹介にはいつも苦労します。それほど長いこと生きてきたわけではありませんが、自らの運命を探るべくいろいろなことをしてきました。ですので、ある一言で自分を定義してしまうと、もう一人の自分とは矛盾してしまう気がするのです。それでも、1つだけ決して否定できないことがあります。それは、私がウクライナ人だということです。

大学では建築を学びました。乗馬を愛し、歌を唄い、絵を描き、本を読み、そして、今回こうして文章を書くことになりました。世界を旅し、新しいことに挑戦して、今も自分の心を動かす何かを探し求めています。

現在私たちが経験していることは、ウクライナ人にとって決して初めてのことではありません。自由のための戦い、死、虐殺、よりよい未来への希望と砕かれた夢。ウクライナの地ではこの世の始まり以来、幾度となく繰り返されてきました。もう二度と起こらないと考えるのは、ナイーブに過ぎます。だから、14歳の頃の私は、「もう数十年私の身近に戦争は起きてないけれど、戦争のない世紀などなかった。それは一体いつやって来るのだろう？　神様、もしそうなっても生き残ることができますように！」などと考えていました。でも、そんなことは何の役にも立ちませんでした。心構えなどできないのです。いつ戻ることができるかもわからぬまま、愛する人を残し

て、家を後にする時には。ロシア軍
による侵攻が始まり、今も父の残る
故郷ドニプロの街を出た時、私はも
う帰ることはできないかもしれない
と覚悟しました。「私はホームレス
になった。新天地で生きるしかない。
もう私に帰る家はない」。

　この本を書く機会は思いがけずめ
ぐってきました。共著者の西田さん
（普段は英語で話すので、"Takahiro"
と呼んでいます）とは、戦争が始ま
るずっと前から交流があったのです
が、今回の事態を受けて、私のこと
をとても気にかけてくれました。西
田さんは、オレンジ革命の後にキー
ウやオデーサを訪問したり、バルト
三国ラトビアにアーティストとして
招聘されたりした経験があります。
数カ国語を話し、スウェーデンの本
を書いたこともあるので、日本語で

ウクライナの本を出すには最適なパートナーでした。

　現在、世界中のあらゆるメディアがウクライナを注視していますが、ロシアによる侵攻前は、ウクライナの話など聞いたこともない人がほとんどでした。祖国を去った私には、そんな「知られざる国」の物語、人生や夢、私たちが何を食べているのか、そのすべてを伝えることが自分の義務のように感じられ筆を執りました。ここに書かれていることは、1998年にウクライナ東部で生を受けた私の限られた人生経験と世界観に基づいています。欧州内はあちこち回りましたし、メキシコやセイシェルなどにも旅をしたことがありますが、人生のほとんどをウクライナの工業都市ドニプロで過ごしました。どちらかといえば、懐疑主義者で悲観論者

かもしれませんが、ウソはついていないつもりです。

　ロシアによる侵攻後、私はまず母や親戚のいるドイツに避難し、今は子どもの頃からの夢をかなえるべく米国にいます。ウクライナを出てから、一日として祖国での暮らしと今の暮らしを比べない日はありません。何もかもが異なり、不思議なことばかりで、なかなか慣れません。私にとってウクライナがいかに快適だったかをあらためて悟る一方、私の国もこうだったらよかったのに、と思うこともあります。

　実は私は、子どもの頃からずっと日本や日本文化の大ファンです。今回雷鳥社さんから本書の出版を打診いただいた時は、その責任の重さに身震いしながらも、慎んでお受けす

ることを即決しました。小さい頃は、アニメ『NARUTO-ナルト-』を見て人生を学びました。村上春樹の小説も何冊も読みました。ひらがなやカタカナもかじりましたが、もちろん自分でこんなに日本語は書けないので、オンラインで辛抱強く議論を重ねながら一緒に書いてくれた西田さんに感謝します。

ウクライナでも日本の桜や紅葉の美しさは有名で、いつの日か訪日できることを夢見ています。それは、日本の伝統建築に畏敬の念を抱いている建築家の父の夢でもあります。

本書を通じて日本のみなさんと、私の人生、そして、魂の一部を分かちあえることを誇りに思います。もちろん、この小さな本の限られたページの中で一国のすべてを語ることなど不可能です。でも、本書がきっかけとなって、私の国に興味や共感を持ってくれる人が一人でも増えたなら、私たちの試みは無駄ではなかったと思うのです。

最後に、この場を借りて、私の愛するウクライナを支援してくださった日本、そして、世界中のすべての人々に心から感謝申し上げます。

オレクサンドラ "サーシャ" スクヴォルツォヴァ

もくじ 3мість

1 ウクライナといえば

2 ウクライナを巡る

基本情報 Основна інформація

国名	ウクライナ（Ukraine）		東方カトリック教、
面積	60万3,700㎢（日本の約1.6倍）		ローマ・カトリック教、
人口	4,159万人（クリミアを除く）		イスラム教、ユダヤ教　等
	（2021年）	**政体**	共和制
首都	キーウ	**議会**	一院制（450議席、任期5年）
言語	ウクライナ語（国家語）、ロシア語、	**通貨**	フリヴニャ（UAH）
	ハンガリー語、ルーマニア語　等		1フリヴニャ＝約3.7円（2022年2月）
民族	ウクライナ人（77.8％）、	**時差**	-7時間（サマータイム時は-6時間）
	ロシア人（17.3％）、	**気候**	北部・西部 冷帯湿潤大陸生気候、
	ベラルーシ人（0.6％）、		南東部 ステップ気候、
	モルドバ人、		クリミア半島 温暖湿潤気候
	クリミア・タタール人、	**渡航**	危険レベル4 ウクライナ全土
	ユダヤ人　等（2001年）		退避・渡航中止勧告
宗教	ウクライナ正教、		（外務省 2022年2月現在）

ウクライナ国歌　Національний гімн

ウクライナは滅びず　Ще не вмерла Україна

パヴェル・チュピンスキー作詞

ハイル・ヴェルビツキー 作曲

ウクライナの栄光も自由もいまだ滅びず、
若き兄弟たちよ、我らに運命はいまだ微笑むだろう。
我らが敵は日の前の露のごとく亡びるだろう。
兄弟たちよ、我らは我らの地を治めよう。

我らは自由のために魂と身体を捧げ、
兄弟たちよ、我らがコサックの氏族であることを示そう。
我らは自由のために魂と身体を捧げ、
兄弟たちよ、我らがコサックの氏族であることを示そう。

Ще не вмерла України і слава, і воля,
Ще нам, браття молодії, усміхнеться доля.
Згинуть наші вороженьки, як роса на сонці.
Запануєм і ми, браття, у своїй сторонці.

Душу й тіло ми положим за нашу свободу,
І покажем, що ми, браття, козацького роду.
Душу й тіло ми положим за нашу свободу,
І покажем, що ми, браття, козацького роду.

ウクライナ人の夢

Мрії українського народу

夢こそが、苦難の時にあって、人々が生き抜き、未来へと歩を進めるための希望であり動機です。ウクライナの地は、いつの世も自由に見放され、誇りを持って自らをウクライナ人と呼ぶ私たちの祖先は、常に隣国の脅威に晒され、服従の歴史に甘んじてきました。自由への渇望は、歌を、詩を、民話を通じて、世代から世代へと受け継がれてきました。生まれ故郷が、祖国があるにも関わらず、なぜ私たちは他所に安住の地を、よりよい生活を求めなければならないのでしょうか？

　不仲な隣国に囲まれ、現在も、ロシアと欧州、さらには米国も含めた欧米のパワーゲームに翻弄されています。私たちの夢は、他の誰かの肩を持つことでも、その庇護を受けることでもありません。自分の国で平和に暮らすことです。誰にも壊されることなく家を建てたり、誰にも殺されることなく家族を育んだり。誰にも邪魔されることなく未来を描いて現在を生きる。そんな当たり前のことなのです。

　1991年、ウクライナは、ソビエト連邦の崩壊を受けて念願の独立を果たしました。当初は社会も経済も混乱しましたが、徐々に安定し、都市開発も進んで生活水準も向上しました。先進国への仲間入りに向けて、大きな一歩を踏み出したのです。ところが、その32年間の努力が、ロシア軍の侵攻によって今また水泡に帰そうとしています。しかし、いかに破壊と虐殺が繰り返されようとも、私たちは決して「自由」という夢をあきらめません。

　神は私たちとともにあり、真実はいつも私たちの味方です。

　ウクライナに栄光あれ！

本書におけるカタカナ表記は、
以下の基本方針に従いました。

1. 原則として、ウクライナの国家語
   （憲法で定められた公用語）である
   ウクライナ語読みを優先する。
2. その他の慣用的な表記などを用いる場合は、
   できる範囲でウクライナ語読みを併記する。

   外国語のカタカナ表記は必ずしも統一
   されておらず、書物やメディアによって
   異なる場合があることにご留意ください。

1

ウクライナといえば

Говорячи про Україну

国旗

　青い空と黄金色の小麦畑。真ん中の地平線で等分されたウクライナの国旗は、その原風景をこれ以上ないほどシンプルに、それでいて豊かに想起させてくれます。でも、それだけではありません。黄金色は、万物の創造者である父なる神の象徴として、高貴な魂を表し、青色は、神が人間に授けた世俗的な価値観と選択の自由を象徴しています。これらは、キリスト教正教会に基づく解釈です。

　リヴィウの街の創立時に青地に黄色いライオンを描いた紋章が使われたのが、この色の組み合わせの起源だともいわれています。それにとどまらず、ウクライナの歴史を通して人気の色で、コサックたちも黄色や黄金色ののぼりを好んで使っており、その傾向は特に18世紀に顕著になったといいます。

　独立記念日前日の8月23日は、ウクライナ国旗を祝う日です。私は子どもの頃から、私たちの国旗の色もそれが象徴する意味も気に入っています。青い空の下、広がる小麦畑や空高く花を咲かせるひまわり畑は、私にとって見慣れた風景で、この旗は、そんな祖国の自然をいつも懐かしく思い出させてくれるのです。

　2022年2月24日のロシアによる侵攻以降、世界中の多くの街でウクライナとの連帯を表明する手段として、この国旗が掲げられました。特に隣接する欧州の国々などでは、公共の建物から個人のお宅まで街の至るところでたくさんのウクライナ国旗が目につき、それはまるで欧州全体がウクライナになったかのようでした。

キーウ時間2月24日午前4時頃、ロシアのウラジーミル・プーチン大統領が、「ウクライナの非軍事と非ナチ化」を名目に「特殊軍事作戦」の開始を宣言しました。その直後、ロシアはキーウ近郊を含むウクライナへのミサイル攻撃を開始し、ロシア軍は、ロシア、ベラルーシ、そして、ロシアが不当に占拠するクリミアから、ハルキウ、ヘルソン、チェルニヒウへと侵攻してきました。大方の予想に反し、ウクライナ軍の反撃により、ロシア軍は侵攻開始後数日にして近年最大の打撃を被りました。その一方で、ブチャ、イルピニ、イジューム、マリウポリなどの惨状に如実に示されているその残虐性は、全世界を驚愕・震撼させました。ロシアの一方的な侵略行為は、ロシア帝国主義が歴史上犯してきた数々の犯罪行為の一端を垣間見せるものです。

　侵攻前からすでに両国間の緊張は高まっていましたが、誰一人本当にこんなことが起きるとは信じていませんでした。みんな、「ウクライナのような貧しい国を誰が本気で欲しがるの？」などとうそぶいていたのです。

　私は、万一に備えて、2月24日に比較的リスクが少ないと思われるウクライナ西部に旅立つ予定だったのですが、まさしくその日、その危惧が現実のものとなりました。午前5時に爆発音で目を覚ますと、窓に亀裂が入っていました。説明のつかない恐怖を感じて一瞬理性を失い、身体が震えました。とっさに生き残る方法を考えました。国内にとどまる限り、どれだけ西に行こうとも不安は拭えません。私は、最低限の荷物をまとめて、国境を越え母の住むドイツへと向かうことを決意しました。

ロシアによるウクライナ侵攻

Російське вторгнення

17

ゼレンスキー大統領

Президент Зеленський

　ウォロディミル・オレクサンドロヴィッチ・ゼレンスキーは、現ウクライナ大統領兼参謀本部総司令官です。1978年1月25日生まれのゼレンスキーは、大統領になる前は、ショーマン、コメディアン、俳優、プロデューサーなど多彩な顔を持つ芸能人として国民に愛されていました。1998年、人気コメディー番組KVNで「95クォーター」というグループの一員としてTVデビュー。2005年に始まった『イブニング・クォーター』では、原案、脚本、演出を手がけると同時に、主役もこなしました。旧ソ連諸国の番組や映画でも活躍し、ウクライナとロシア合わせて30本以上のTV番組、18本の映画に出演して常に人気を博していました。

　2019年の大統領選に出馬し、73.22%の支持を受けて当選したのが政治家としてのキャリアのスタートです。彗星のようなデビューですが、2015年に始まり国民的人気を博した政治風刺ドラマ『国民の僕』で、政治の腐敗と闘うために大統領になった純真な教師の役を演じたのがゼレンスキーでした。当時は、このストーリーが現実になるなどと予想していた視聴者はいなかったでしょう。でも、今思えば、この番組のおかげで、本物の選挙に出馬するずっと前から、ゼレンスキーは大統領の「有力候補」だったのです。私たちウクライナ人は、政治家たちが繰り返す果たされることのない空虚な公約には、もううんざりしていたからです。腐敗のない未来と欧州の一員となる機会を求めて、私たちは彼に一票を投じたのです。

　2022年のロシア軍の侵攻に際して、ゼレンスキー大統領は首都キーウに残ってウクライナの独立を守る道を選びました。2014年のユーロマイダン

革命時に、自らの命惜しさにロシアへ亡命したヤヌコーヴィチ大統領とは大違いです。誰も期待していなかった軍の総司令官としての役割を立派に果たすゼレンスキーの姿を見て、国内での人気も国際社会での評価も爆発的に上がったのはいうまでもありません。米国のTIME誌は、ゼレンスキー大統領を2022年世界でもっとも影響を与えた人物、「パーソン・オブ・ザ・イヤー」に選出しました。モスクワで射殺されたロシアの野党指導者の遺志を継ぐドイツの非営利財団ボリス・ネムツォフ自由財団からは、勇気ある活動家を讃える名誉ある賞を贈られ、エルサレム・ポスト紙からは、2022年「もっとも影響力のあったユダヤ人50人」に選ばれています。

　私たちウクライナ人は、私たちの大統領、ゼレンスキーを誇りに思っており、彼が祖国を勝利に導いて、強く自由なウクライナを実現してくれると信じています。

ドニプロ川沿いに位置するウク
ライナ最大の都市キーウ（キエフ）
は、ウクライナの首都であり、政
治、経済、文化、宗教の中心地です。
2022年に1540周年を迎えた歴史あ
る街で、その長い歴史を通じてこの
地を統治したさまざまな国の首都で
あり続け、1991年にはソ連解体を受
けて独立したウクライナの首都とな
りました。市内に住む290万人、首
都圏まで含めると350万人ほどの民
族構成は、ウクライナ人、ロシア人、
ベラルーシ人、ユダヤ人、アルメニ
ア人など多様性に富んでいます。市
の中心部にある独立広場は、近代ウ
クライナの独立と自由への道のりに

キーウ

Київ

おいて、多くの政治集会や紛争の舞台ともなりました。

「緑の都」とも呼ばれ、特に栗の一種カシュタンの木はあらゆる通りで見かける街の象徴です。ユネスコ世界遺産を含む多くの教会や修道院が建ち並び、「黄金ドームの都」とも讃えられるこの美しい街さえ、ロシアからのミサイル攻撃の標的となっているのは本当に悲しいことです。キーウは美しいお寺や庭園が有名な日本の古都、京都の姉妹都市でもあります。戦争が終結したら、ぜひもっと多くの日本のみなさんにこの街を訪ねてもらいたいと思っています。

チョルノービリ原発事故

Чорнобиль/Прип'ять

　チョルノービリ（チェルノブイリ）は、1986年4月26日、ソ連時代に起きた原子力発電所事故の現場として有名です。4号炉の試験中に起きた異常によって水蒸気爆発が発生し、同炉の建屋が崩壊。爆発と火災により、大量の放射性物質が大気中に放出される大惨事となりました。その周辺の制限区域には、プルィーピヤチ（プリピャチ）という街がありました。欧州最大級のチョルノービリ原発に関係する科学者や建設業者、運用保守スタッフの居住区として、急速に開発が進む希望に満ちた新興都市でしたが、事故で全員避難し、高い放射能レベルのため今も定住者はいません。

　現在は、法律で保護された国家保全地域となっていて、廃墟と化したプルィーピヤチの街を見学する定期ツアーが組まれています。意外に思われるかもしれませんが、この負の遺産を一目見ようと多くの人々が訪れる人気観光スポットになっているのです。日本のみなさんも東日本大震災を通して福島原発事故を経験されましたね。核の悲劇を共有する者同士として、日本とウクライナの間ではさまざまな支援・交流活動が行われてきました。私たち人類は、こうした過去の惨事を記憶の片隅に追いやるのでなく、そこから将来に向けて大切な教訓を学ばなければならないでしょう。

ボルシチ

Борщ

　ウクライナの料理といえば、真っ先に思い浮かぶのがボルシチ（ウクライナ語ではボールシィチ）です。何世紀にもわたって受け継がれ、ウクライナ人の習慣やおもてなしの心を、世代や性別を超えて象徴するものです。ビーツで赤く染まったものが有名ですが、いろいろなバリエーションがあります。近隣諸国でも人気で、ロシア料理だと思っている人も多いようですが、発祥はウクライナです。

　豚の脂身を塩漬けにしたサーロもウクライナを代表する料理ですが、日本ではあまり知られていないようですね。欧米では、旧ソ連諸国で食べられている鶏肉のコートレットが、「チキンキエフ」という英語名ゆえにウクライナ料理として有名だそうですが、その発祥は定かではありません。

　世界中でいろいろな形で食べられている料理のウクライナ版としては、日本の水餃子にあたるヴァレーニキがあります。小麦粉でできた皮は日本の餃子より厚く、具はキャベツやジャガイモが典型的ですが、肉を入れてもいいですし、ブルーベリーやチェリーなどを入れた甘いものもあります。

　主食としては、蕎麦の実、小麦粉、米などの穀物に加え、他の東欧・北欧諸国同様、ジャガイモを忘れるわけにはいきません。ジャガイモのパンケーキ、デルニー（ロシア語やベラルーシ語ではドラニキ）は、発祥はベラルーシだともいわれていますが、ウクライナでも大人気です。同じ料理でも、素材や調理法は、地域やお店、家庭によってさまざまなので、本物のウクライナ料理を食べてみたければ、ぜひいつの日かウクライナを訪ねてみてください。

ボルシチ　Борщ

[材料(3人分)]

牛肉(すね肉やもも肉) 500g、玉ねぎ1個、にんじん100g、ディルかパセリ半束、ジャガイモ250g、ビーツ200g、キャベツ150g、トマトペースト大さじ1杯、にんにく2片、砂糖5g、塩1g、リンゴ酢大さじ1杯、サワークリーム適量

[手順]

1　牛肉をよく水洗いし、大きめの鍋に入れて、ひたるくらい水を注ぎ、
　　丁寧にあくを取りながら、柔らかくなるまで1.5 〜 2時間ゆでる。
　　ゆで終わる30 〜 40分前に塩を足す。

2　ゆでた肉を冷まして、一口大に切り、鍋に戻す。

3　よく熱したフライパンで薄切りにした玉ねぎと、
　　千切りにしたにんじんを黄金色になるまで炒める。

4　すりおろしたビーツ(半量)を鍋に入れ、リンゴ酢を加えて7 〜 8分ゆでる。
　　トマトペーストと砂糖を足してさらに3 〜 4分ゆでる。

5　次の順番で野菜を入れる。まずキャベツ、次にジャガイモ、
　　それから、玉ねぎ、ビーツ、にんじん。それぞれの間隔を15分ほど空けること。

6　最後ににんにくを1片入れ沸騰させる。すりおろしたにんにく1片、
　　サワークリーム、ディルやパセリを加えて出来上がり!

デルニー　Деруни

[材料(3人分)]

ジャガイモ(ラセットポテト。日本でいうメークイーン種)中5-6個、玉ねぎ1/2個、大きめの卵1個、薄力粉大さじ2-3杯、塩大さじ1/2杯、コショウ大さじ1/8杯、オリーブ油大さじ1.5杯、サワークリーム適量、パセリ少々

[手順]

1　ジャガイモと玉ねぎの皮をむき、冷水で洗う。

2　大きなボウルにすりおろしたジャガイモと玉ねぎを交互に入れながら
　　よく混ぜる。こうすると、ジャガイモが茶色くなるのを防げる。

3　卵、薄力粉、塩、コショウを加えて、よく混ぜる。生地は水っぽいくらいでよい。

4　フライパンを中火に熱し、オリーブ油を大さじ半杯たらす。
　　その上に生地をのせ、黄金色になるまで焼き、裏返してもう片方も焼く。
　　これを繰り返して全部で15枚くらい作れば、お腹いっぱいになるでしょうか。

5　温かい内に、お好みで、サワークリームやパセリを添えて召し上がれ！

現代の食生活
Сучасна популярна їжа

　日本人が毎日お寿司などの和食を食べているわけではないように、現代の
ウクライナ人も伝統料理ばかり食べているわけではありません。地中海料理
やイタリア料理のレストランにも普通に行きますし、お寿司やラーメンはも
う15年ほど前から人気です。お祝いの席のテーブルには、必ずお寿司が並ん
でいるほどです。私も、日本を訪ねることができたなら、その時ばかりは
ヴィーガンを返上して、ぜひ本場のお寿司を堪能したいと思っています。

ピーサンキ

Писанки

　ビーズワックスや染料などを使って卵に伝統的な文様などを装飾するイースターエッグのことを、ウクライナでは「ピーサンキ（単数形はピーサンカ）」と呼びます。卵は、普遍的な「生命のシンボル」、そして、「世界の起源」として世界中の多くの神話に登場します。卵に絵や文様を描く習慣もいろいろな国で見られますが、根気強く繊細な装飾が施されたウクライナやポーランドのピーサンキは特に有名みたいですね。その習慣は異教の時代に遡りますが、後にキリスト教に取り込まれ、イエス・キリストの復活祭であるイースターにちなんで、「復活・再生」の象徴となりました。幾何学的な装飾もきれいですが、私の故郷ドニプロにほど近いペトリキウカ村の発祥で有名なペトリキウカ塗りのものも素敵です。ピーサンキは、真実、健康や強さの象徴であり、時に豊作や天災などの厄払いへの祈りも込められています。

民族衣装

　民族衣装は、私たちが愛し、誇りとするウクライナの象徴の1つです。私は、子どもの頃からウクライナの衣装が世界で一番きれいだと思っていましたし、明るい色の花で作った花冠や幾重にも重ねてつける首飾りが大好きでした。小学生の頃、10月14日は「ウクライナ・コサックの日」で、この日になると女子はビーズや刺繍で飾られたシャツを着て花冠を頭に載せ、男子も衣装をまとって「ちびっこコサック」を気取ったものです。現在この日は、「ウクライナ防衛者の日」という祝日になっています。

　基本となるのが、刺繍の入った木綿製の「ヴィシヴァンカ」と呼ばれるシャツです。毎年5月の第3木曜日は「ヴィシヴァンカの日」で、2022年のスローガンは、「ヴィシヴァンカはウクライナ人の魂の鎧だ」。ゼレンスキー大統領夫妻もそれを身にまとった姿を公開しました。

　女性の衣装は、地域ごとにカットや刺繍、色合い、装飾品などさまざまなスタイルがありますが、中央ドニプロ地方のものがもっとも伝統的とされています。ネックレスやビーズなどの装飾品は重要で、素材ごとにご利益がある他、裕福さを誇示する役目もあります。祝日ともなると、頭に花冠を載せ、首にはできるだけ多くのネックレスをかけます。

　男性の衣装は、麻やリネンのシャツとウールのパンツで、ロシアやベラルーシの衣装にも似ていますが、前面に黒と赤の刺繍の入ったカットが入っていることと、裾をパンツの上に垂らすのではなくパンツの中に入れるのが、ウクライナの特徴です。「シャロヴァリ」と呼ばれるワックスの塗られたウール製のパンツは幅が広いのが特徴で、特にコサックのものは顕著でした。

女性と美意識

Краса та жінки

　ウクライナは「世界一の美人の国」
といわれています。誰がいったので
しょう？　外国人に違いありません。
　遠目にしか見たことがないのかも
しれませんし、私たちがゴミ出しの
時でさえ化粧を怠らないからかもし
れません。ウクライナ人女性が美し
くあろうと努力していることは確か
ですが、時に行き過ぎのようにも
思えます。爪やまつ毛はもちろん、
鼻、唇、胸まで、美の黄金律に基づ
き、現代の美容技術を駆使して完璧
を目指します。ジムに通ったり、食
事に気をつかったりすることはもは
や義務のようです。素顔の素敵な女
性までもが、流行や社会の掲げる理
想のために自分を変えようとするの
はもったいないことです。でも、み
んながみんな、そうではありません。
美の基準や美への姿勢は時代によっ
ても移り変わります。最近は、柔ら

かな顔立ちや白い肌、濃い目の金髪といったスラブ系女性生来の特徴がより好まれるようになりました。

　ウクライナは一般に東スラブ人の国だとされていますが、現代の世界情勢を反映して、他の欧州諸国の例にもれず、中近東やアフリカからの難民や移民の数が増えてきました。私の経験では、ウクライナ人は、ナショナリズムは強いですが、肌の色の違いによる差別意識はあまりありません。それでも、私のような青い瞳・金髪の欧州人は今や少数派の「絶滅危惧種」なのかもしれないと感じたこともあります。

　まさか、今度は私たちウクライナ人が難民になろうとは思ってもいませんでした。いつどこでどんな運命が待っているのかは誰にもわかりません。遠い国の出来事も決して他人事ではないのです。

花

Квіти

　ウクライナでは、男性はデートのたび、そして、毎年の誕生日やお祝い事など何かにつけて花を持参します。そんなことにはあまり価値がないという人もいますが、私たちの文化では、まだ伝統的な男女の役割や関係を大切にする人が多いです。花が大好きな私も贈られて嫌な気はしません。

　私が一番好きな花は、情熱や真実の愛の象徴、バラです。日本のみなさんに気をつけて欲しいのは、ウクライナ人に偶数本の花を贈るのはご法度だということ。お葬式など悲しい出来事の時だけです。これは、キーウ・ルーシ時代まで遡る習わしで、ウクライナでは子どもでも知っています。一説によると、偶数は人生のサイクルの完結、すなわち死を象徴するからだそうです。そして、カーネーションも典型的なお葬式の献花なので、贈られて嬉しい人はいません。

　『百万本のバラ』という歌がありますね。私たちにも馴染みの深い歌で、てっきりロシアの曲だと思っていたのですが、もともとはラトビアの歌謡曲だそうです。そのくらいの数になると偶数でも気にならないでしょうか？　もらったことがないのでわかりませんが、私には、101本で十分です（笑）。いえ、たとえ1本でもいいのです。大切なのは真心ですから。

愛のトンネル

Тунель кохання

　愛する人とくぐると願いがかなうという「愛のトンネル」が、キーウとリヴィウの中間くらいにあるリウネ州クレヴァニという小さな村にあります。産業用線路に、樹木の枝がアーチ上にかぶさって幻想的な異世界へと続くトンネルのように見える場所です。新緑の季節や夏は、緑が美しく、秋は紅葉、冬は雪景色を楽しむことができます。

　交通の便がよい場所ではなく、季節によっては蚊の大群に悩まされるにも関わらず、訪れる人が増えているそうです。日本では、『クレヴァニ、愛のトンネル』というロマンチックな恋愛映画が、現地ロケを敢行して制作・公開されています。

Подорожуючи Україною

ウクライナ東部では独立に向けてロシアとの戦いが繰り返される一方、西部は、リトアニア、ポーランド、オーストリア、ハンガリーといった時の欧州列強の支配下に置かれてきました。そのため、歴史上の統治国の文化が、それぞれの地域の文化的発展に大きな影を落としています。工業都市は東部に多く、西部のほうは農村的性格が強いです。

　私の生まれ育ったウクライナ東部は、ロシアからの入植者も多く、その風習や伝統は、欧州よりもロシアに近いところがあります。民族的な

ロシア人の比率は、西部では、首都キーウで1割をやや上回る以外はすべての州で1割を下回るのに対し、東部では、クリミア半島で約6割、ドネツク州で4割近くと多く、東部全域の約3割がロシア人です。その背景には、この地域に住んでいたウクライナ人たちが過去に大勢虐殺されてしまった悲しい歴史があります。祝日はロシアと同じく東方正教会のカレンダーに基づいています。それでも、世界中でウクライナを代表する文化の1つとして認識されている民族衣装はこの地域のものです。学校

東部と西部

Схід та Захід України

でウクライナ語を学ぶものの、9割以上の人がロシア語を話していましたが、2014年のユーロマイダン革命以降、徐々にウクライナ語を話す人が増え、若者を中心に街でウクライナ語を耳にする機会も増えました。

ウクライナ南西部のリヴィウ、ヴォリーニ、イヴァノ＝フランキウスクの3州を私たちは「ガリツィア」（ウクライナ語ではハルィチナ）という歴史的な名称で呼びます。そこでは、ほとんどの人がポーランド語を理解できますが、ロシア語はあまり通じません。ウクライナの国教はウクライナ正教ですが、この地域の人のほとんど（全国民の約1割）がカトリック教徒です。子どもの名づけ方にも特色があり、マリャナ（Maryana）、ソロミア（Solomiya）、ルキャン（Luckyan）、マルク（Mark）などは、この地域ならではの名前です。民族衣装や料理にも明らかに西側近隣諸国の影響が見受けられる、ウクライナの中でも独特な文化を持った地域です。多くの古城が残っているのも特徴で、それぞれ見応えがあります。

リヴィウ

Львів

リヴィウは西部ガリツィア地方の中心都市で、ウクライナでもっとも歴史があり美しい街の1つです。1231年から1235年にかけてこの街を建造したダヌィーロ・ロマーノヴィチ王の息子レヴ王子が街の名の由来で、「ライオン」を意味します。ポーランド、オーストリア、ハンガリー、ドイツなどの領土となった歴史がありますが、その間も住民たちはウクライナ人としてのアイデンティティを持ち続けたといいます。

今では近代的な都市ですが、美しいバロック様式の教会が並ぶ旧市街はユネスコ世界遺産に登録されていて、ウクライナでもっとも人気の観光地の1つです。国立博物館、絵画ギャラリー、野外建築ミュージアム、武器博物館など見どころには事欠きません。自由大通りには国民的詩人タラス・シェフチェンコの像が建ち、その足元には花が絶えることがありません。一方、その1ブロック南の広場に立つポーランドの国民的詩人アダム・ミツキェヴィチの記念碑は、この地がかつてポーランド・リトアニア共和国の領土だった時代をしのばせます。

シェフチェンコ通りに建つのは、有名な歴史学者でウクライナ中央議会議長を務めたミハイロ・フルシェフスキーの像です。そして、リヴィウの大学には、ウクライナ民族解放運動やウクライナ文化振興運動の第一人者、イヴァン・フランコの名前が冠されています。

オデーサは、黒海沿岸のオデーサ湾岸にあるウクライナで3番目に人口の多い都市で、「黒海の真珠」と呼ばれています。あるランキングによると国内で一番住みやすい街で、国際色豊かで多様性に富み、文化的な街としても知られています。日本の港湾都市、横浜の姉妹都市でもあります。

私のお気に入りは、海辺の街らしい数十kmにおよぶビーチ。中でもインフラの整ったアルカディア・ビーチは、地元の人にも観光客にも人気です。国民的詩人の名が冠されたシェフチェンコ公園内には、2005年開館のイルカ水族館ネモがあります。

2022年1月、ユネスコは、オデーサの歴史地区を世界文化遺産とする

ことを決定しました。同地区内にあるオペラ・バレエ劇場は、ウクライナで最も古い歌劇場で、美術・建築ファンにもおすすめのこの街のシンボルです。ネオバロック様式の外観に加えて、私が魅了されたフレンチ・ロココ様式の内装もじっくり堪能してください。セルゲイ・エイゼンシュテイン監督によるソ連時代の

サイレント映画『戦艦ポチョムキン』に登場した「ポチョムキンの階段」も有名ですね。

そして、どんなに短い滞在だとしても、オペラ・バレエ劇場からほど近い、おしゃれなブティックやカフェ、レストラン、一流ホテルが立ち並ぶオデーサの遊歩道、デリバソフスカヤ通りの散策もお忘れなく。

オデーサ
Одеса

クリミア

Крим

　クリミア半島は、ウクライナの領土であり、政府直轄の特別市セヴァストーポリ、クリミア自治共和国、アラバト砂州からなります。私は、この半島に、4歳の頃から幼馴染みのダニエルと家族ぐるみで毎年夏の休暇を過ごしに行ったものです。岩壁の上に立つ有名な「燕の巣」は、歴史上の有力者たちが過ごした城で、今は建築遺産とされています。セヴァストーポリ、ヤルタ、ビーチでも有名なノヴィー・スヴェト村など見どころが多く、峡谷でカヤックをしたり、山間部でキャンプをしたり、思い出には事欠きません。黒海沿岸のリヴァディア宮殿はロシア皇帝ニコライ二世の南の離宮で、有名な「ヤルタ会談」が開かれた場所です。近郊のニキーツキー植物園も素晴らしく、花好きの私はぜひ再訪したいと思っています。

　ロシアによるクリミア強奪は赦し難い暴挙ですが、正直にいうと、この美しい場所が焦土と化さなかったことだけでも喜ぶべきだと思っています。もちろん、いつの日かウクライナに返還されて、欧州中の人たちがこぞってこの観光地を訪れる日が来ることを願っています。でも、本当に大切なのは、この美しい場所がどこの国の領土かではなく、世界中が平和になって、世界中の人々が国境など気にせずに自由に往来できるようになることではないでしょうか?

ドニプロ

Дніпро

　ウクライナ東部ドニプロ川河岸に
ある、人口第4位の都市ドニプロが、
私の生まれ故郷です。でも、子ども
の頃はいつもこの街を出ることを夢
見ていました。市内、州内の多くが
重工業地帯で、大気は汚れ、とても
生態系によいとはいえない環境でし
た。ソ連崩壊後、荒廃したまま放置
された場所もあちこちで目につく気
の滅入る陰鬱な街という印象を持っ
ていました。
　しかし、徐々に再開発が進み、新

しい道路やビル、住宅や公園ができ、ドニプロ川沿いには欧州で一番長い30km以上の堤防が整備されました。そこは、少女時代に父や母と散歩した思い出の場所であり、思春期以降はジョギング・コースになりました。修道院島で乗馬したり、地元のビーチで日光浴をしたり、思い出がたくさん詰まっています。大都会の喧騒からも田舎の退屈からも無縁な、住むにはちょうどいい街です。

　2022年2月、ロシア軍の侵攻によって、23歳の私は、思いがけずこの街を離れることになりました。この原稿を書いている2023年1月の今日も、ロシアのミサイルがドニプロの集合住宅に着弾し、40人以上の方が命を落としたという悲惨なニュースが世界中を駆け巡りました。今も父の残るドニプロ。次に帰れるのはいつになるのか正直まだ想像もできませんが、私の愛するドニプロの人たちに笑顔で再会できる日が、一日も早く訪れますように！

ハルキウ

Харків

　ハルキウは北東部の重要な産業都市で、ロシアによる侵攻前は、ウクライ
ナで人口第2位の近代的で緑や公園の多い美しい街でした。17世紀半ばにウク
ライナ・コサックにより建設され、19世紀以降は重工業が発達して、ロシア
人の入植が盛んになり、産業発展に伴いユダヤ人の数も増えました。正教会
の生神女福音大聖堂は、80mの鐘塔を持つ美しいネオ・ビザンチン建築で一
際目を引きます。残念なことに、住宅地や教育施設、公的機関、公園などを
含む市内の多くの場所がロシア軍の攻撃の標的となり、ここに残る市民たち
は悲惨で厳しい生活を余儀なくされています。

ドンバス

Донбас

　ドンバスは、ロシアと国境を接する東南部のドネツク州とルハンスク州を指す通称です。ウクライナ最大の炭鉱地域で、富裕層が多く住み、政治的には、ヴィクトル・ヤヌコーヴィチ元大統領など有力な政治家を輩出する親ロシア派の牙城でもありました。2014年に不当な弾圧を受けるロシア系住民の解放という口実の下、ロシアの支援を受けたと目される親ロシア派の分離主義勢力が実効支配を始めると、その統治を嫌って近隣のハルキウやドニプロに避難した人も多く、私も個人的にそんな家族を知っています。

　この地域の状況が2022年のロシア侵攻の原因ともなったことを思うと、ウクライナも国際社会も当時からより断固とした対応をすべきだったと悔やまれ、暗澹たる気持ちになります。

ウクライナの国土は変化に富んでいます。ステップ（草原）もあれば、山にも森にも海にも恵まれています。ウクライナ人の多くは国内で休暇を過ごします。キーウ、オデーサ、リヴィウなどの歴史ある街やザカルパッチャなどの行楽地を訪れるのです。ロシアに併合される前は、クリミア半島がウクライナでもっとも人気の観光地でした。併合後でさえ、国境で行われる検問の待ち行列もいとわず休暇に訪れるウクライナ人が後を絶たなかったほどです。ロシアによる侵攻前は、ベルジャーンシクやプリモルスクなど東部沿岸地方の街も人気でした。毎年友人たちと訪

人気の観光地

Місця відпочинку

ねたビリューチー島での夏休みもか
けがえのない思い出です。

　トルスカヴェツ・サナトリウム、
ミルゴロドなどは、特有の鉱物成分
を持つ温泉や清廉な環境を求めて、
高齢者やゆったりとした休暇を過ご
したい人たちが年間を通して集まる
湯治場になっています。活動的な行

楽地の代表は、ザカルパッチャにあ
る国内最大のスキー＆スパ・リゾー
ト、ブコヴェルでしょう。敷地内に
は民族博物館とレジャー施設が合わ
さったようなエスノグラフィック・
パーク「フツルランド」もあり、夏で
も森の新鮮な空気や素晴らしい景観
を求めて多くの人が集まります。

世界遺産

Світова спадщина ЮНЕСКО

キーウの聖ソフィア大聖堂と関連する修道院群およびキーウ・ペチェールシク大修道院
1990

　キーウ・ルーシの繁栄とこの地におけるキリスト教布教の歴史を今に伝える美しい大聖堂や大修道院、救世主聖堂がウクライナで最初に登録された世界遺産です。

シュトルーヴェの測地弧
2005

　子午線弧長の測量のため国境をまたいで設置された265ヶ所2820kmに及ぶ三角点群の内、10カ国、34ヶ所が登録されています。

リヴィウ歴史地区
1998

　ポーランド、オーストリア、ウクライナなど多くの支配を経た複雑な歴史を反映して東欧と西欧の建築様式が混在し、数多くの宗派の教会が立ち並びます。

ブコビナ・ダルマチア府主教の邸宅
2005

　チェルニウツィにあるブコビナ（ウクライナとルーマニアの歴史的地名）の主教たちの住居、聖堂、修道院、庭園などで、オーストリア帝国に属していた19世紀後半に建てられました。現在は大学の校舎の一部としても利用されています。

ケルソネソス・タウリケの古代都市と
その農業領域
2013

　クリミア半島セヴァストーポリ周辺に残る
古代ギリシャ人による都市遺跡と周辺の農業
遺跡です。

ポーランドとウクライナの
カルパティア地方の木造教会群
2013

　両国に点在する16世紀から19世紀に
建造された16のギリシャ正教の聖堂が
対象です。

オデーサ歴史地区
2023

　オデーサ中心部の歴史地区が、
もっとも新しい文化遺産です。
ロシアの攻撃でその一部が被害
を受けたことを受け、危機遺産
にも指定されています。

カルパティア山脈などの欧州各地のブナ原生林群
2007

　当初ウクライナとスロバキアの世界遺産として登録された
ブナの原生林が、その後拡大登録され今では18カ国に及ぶ大
きな自然遺産です。

ホールツィツァ島

Хортиця

　ホールツィツァ島は、ザポリージャ市にあるドニプロ川最大の島で、自然歴史文化保存地区に指定されています。島には不法占拠地区も含め9つの村があり、2,000人近くが暮らしています。島一番の観光地は、歴史文化施設「ザポリージャ・シーチ」で、美しい島の景観にふさわしい木造建築とその中に展示されている当時のインテリアやさまざまな家財道具を通じて、コサックの歴史と精神を感じることができます。見学ツアーに参加することもでき、演劇や全ウクライナ・フェスティバルも開催されています。水辺には鳥たちが巣を作り、川では魚たちが産卵し、美しい白水仙の咲く湖もあるので、自然を愛でるために訪れるにもよい所です。

3

ウクライナを知る

Суспільство та люди

国民性

Люди

　ウクライナ人は働き者です。日本人やドイツ人ほどではないかもしれませ
んが、よりよい暮らしのために身を粉にして働くことを厭いません。国外に
避難している多くのウクライナ人も、何もせずに生活保護をもらうよりは仕
事に就きたいと考えています。

　問題が起きた時に、その場で融通をきかせて助け合おうとするのも特徴で
す。例えば、私がパスポートの受け取りに必要な書類を1つ忘れてしまった
時も、別の方法で本人確認をしてくれて、何とか受け取ることができました。
ドイツだときっとあり得ないでしょう。これをよいことだと考えるか、よく
ないことだと考えるかは、文化の違いなのかもしれません。

　ウクライナにも日本のように「おもてなし」の文化があります。来客がある
時には、ご馳走をたくさん用意して、楽しい時を過ごしてもらおうと精一杯
頑張ります。父は、週末よくダーチャと呼ばれる郊外の別宅にお客さんを招
いて、会食やバーベキューをしていました。来客たちは、手土産を持ち寄り
ます。故郷ドニプロでの楽しい思い出です！

　ウクライナでは、精神分析医に通う人はあまりいません。親しい人たちを
信頼して、友達はもちろん、ネイリストや美容師、マッサージ師などにも自
身の体験や悩みを打ち明けるからです。私は外国の方から、「あなたは、何で
もオープンに話すのね」とめずらしがられることがありますが、私の国では
普通のことなのです。ところが、戦争が長びいている現在は、心のケアを必
要とする方の数が増えているそうです。

私の存在を無条件に愛してくれるのは家族だけです。ウクライナの家族は概して小家族です。私の両親の世代（40、50代）の子どもの数は1人か2人。3人以上子どもがいる家庭はめずらしいです。出産率と出産年齢が時代や生活・教育水準によって変化するのはウクライナも同じで、私は母が24歳の時の子どもで今ちょうど同じ24歳ですが、まだ子どもを産もうとは考えていません。ソ連時代は、24歳といえばむしろ高齢出産の部類だったかもしれませんが、今や先進国の多くでは30代になるまで子どもを産まない女性も多く、40代や50代で出産する人もいます。祖母が16歳の時に最初の子どもを産んだのとは対照的です。

　母には、私の伯母にあたる姉のインナと叔父にあたる弟のアンドリーがいて、イスラエル、ドイツ、カナダといろいろな国に親類がいます。ユダヤ人は往々にして大家族なのです。何人いとこがいてその子どもたちが何人いるのか想像もつきませんが、実際に付き合いがあるのはウクライナとドイツに住む親戚たちです。父方の祖父は早くに亡くなったのですが、祖母とは子どもの頃楽しい時間を過ごした思い出があります。私の家族が理想の家族だとはいえませんが、それでも私が父と母にとっていつまでも愛する一人娘であることに変わりはありません。皮肉にも、次にいつ会えるかもわからなくなった今、私と両親との絆はさらに強いものになりました。

家族

Родина

ペット

Домашні тварин

　私は動物が大好きです。ウクライナのほとんどの家庭が、何かしらペットを飼っています。犬、猫、ネズミ、チンチラ、モルモット、観賞魚、時には蛇やめずらしい野生動物。一番人気があるのは、アパートでも飼える小型犬や猫です。私はどちらかというと猫派です。気まぐれだけど、比較的手間がかからないので部屋の中で飼うのに適しています。でも、実は犬も大好きです。11歳のクリスマスに、アメリカン・アキタの子犬を父からプレゼントされ、私はその子にアニメ『NARUTO-ナルト-』の登場人物からとった「キバ」という名前をつけました。愛らしいのですが、大きくなるし、気性も荒いので、一緒に訓練コースに通ったりして躾

には苦労しました。13歳になるキバは、今もウクライナの父の下で暮らしています。

　ペットを飼うには大きな責任が伴います。犬や猫は、小さな子どもが親を慕うように飼い主を愛し、生きがいにします。そんな健気なペットを見捨てて、その愛情や信頼を裏切るようなことがあってはなりません。戦争で私がウクライナを離れた時、一番気がかりだったのは、残してきた愛猫アーノルドのことでした。当時はしばらく帰宅できない事態に

なるとは思ってなかったのです。幸いにして、母の友人が越境に必要な書類を準備してドイツに連れてきてくれたので、今はミュンヘンで母とともに暮らしています。戦禍の中、ペットを必死に守る人もいれば、置き去りにする人もいます。そんな状況下でも、多くの動物愛護団体が、ウクライナから動物たちを救出しようと活動してくれています。この苦難の時にペットたちの里親になってくれるやさしい欧州の人々に心から感謝の意を捧げます。

理想の男性像

Ідеальний чоловік

　ロシアの侵攻から国を守るため、現在ウクライナでは、18歳から60歳までの男性が国を出ることは禁じられています。一方、女性や子どもたちの多くが国外に避難し、ウクライナから欧州各国への避難民の数は800万人を超えました。戦争前は、女性3人に対して男性1人という人口比でしたから、異性のパートナー探しは、男性には余裕で、女性にとっては大変でした。

　ウクライナ人男性は、起業家精神やウィットに富んでいるといわれています。お金儲けが得意な人もいますが、マフィア絡みや不法な手段に走る人もいるので、気をつけなければなりません。困ったことに、羽振りがよくて危険な香りのする男性には女性ホルモンを狂わせるカクテルのような魅力があるようで、お金持ちの隣で贈物のシャワーを浴びながら贅沢な生活を送ることを夢見る女性もいます。もちろん、打算抜きで恋に落ちて、家族仲睦まじく暮らす人たちもいます。海外の男性に目を向ける女性も少なくありません。外国人と結婚することは、生活水準の高い国での明るい未来への夢ともつながっています。

言語

Мова

　あなたはいくつの言語を話しますか？　と聞かれることがあります。私が子どもの頃は、ロシア語も公用語の1つでした。学校では、ウクライナ語と同じ時間数学びました。両方同じように話せますが、両親とはロシア語で話します。ウクライナの東部出身で、ソ連時代に育った両親は、ウクライナ語の教育を受けていません。ウクライナ語がどの学校でも教えられるようになったのは、1991年の独立以降のことです。

　2004年のオレンジ革命が契機となり、ウクライナ語がTVや公文書で使う公用語に定められました。2014年のユーロマイダン革命を経てそれがさらに強化され、ロシア語は第二公用語としての地位を失いました。しかし、ロシア語を母語とする国民が本気でウクライナ語を優先し始めたのは、2022年のロシアによる侵攻以降です。尊厳の問題として「テロリスト国家」ロシアの言葉など話したくないという気持ちにさせられたのです。ウクライナでは、言葉は、政治や感情と複雑に絡み合った難しい問題です。

　外国語はというと、ウクライナでは英語を6歳から学び始め、ドイツ語も比較的人気ですが、卒業してもほとんど話せない人もいるので、達成度はまちまちです。国を離れることになった今、英語を話せる重要性とありがたみを実感しています。

教育

Освіта

　ウクライナの教育制度は、他の多くの国とほぼ似た構成ですが、高校まで
が義務教育です。クラスの定員は約30人。年度は9月から5月までで、6〜8
月の3ヶ月が夏休みです。冬休みは2週間で、春休みと秋休みは1週間ずつ。試
験の成績は、高校までは12点満点、大学に進むと100点満点で採点されます。

ソ連時代に多くの優秀な人材を輩出したウクライナですが、独立後は慢性的な予算不足のため、むしろ教育の質は低下したのではないかと懸念されています。入試や卒業試験における汚職も横行しています。ウクライナの教育機関のほとんどが国立・公立なのですが、教師の給与の低さが問題の根底にあると私は考えています。教師の社会的身分が低く、才能ある人は他の職業や海外に活躍の場を求めるのです。

　学生時代のいい思い出はあまりありません。同級生たちも同様です。高圧的な先生や職場に不満で生徒に不寛容な先生もいて、よい関係性を築けずに、子どもたちにコンプレックスを植えつけてしまうケースもありました。

　ソ連時代は大学を卒業すれば国が雇用してくれたので、大学に行くのが当たり前でした。そんな雇用保証のない今もその伝統は続いていて、進学しない学生はめずらしいくらいです。入学前はまだ自分の本当にやりたいことがわからずに、親が子どもの進路を決めるのが通例です。私も建築家の父に倣って建築を専攻したのですが、今はその道に進むつもりはありません。専攻と異なる職業に就くことはめずらしくないので、大学教育を資格取得のための形式的なものと考え、勉学に身が入らない学生も少なくないのです。真面目な人が多そうな日本でも似たような現象があると聞きましたが、本当でしょうか？

祝日

Державні свята та знаменні дати

　週末や祝日にほとんどのお店が閉まってしまう国もありますが、ウクライナでは、週末でも祝日でもたくさんのお店やレストラン、薬局などが営業しています。国民の祝日に必ず休むのは公務員くらいです。その一方で、ウクライナ人がしっかり休暇を楽しむのもまた事実です。カレンダーには宗教、社会、国にとって大切な休日が盛りだくさんで、その多くが正式に国民の休日と定められています。ここでは、ほとんどのウクライナの家族が祝ったりお休みを取ったりする代表的な祝日をご紹介しましょう。他にも、地域や信教に固有の祝日もさまざまあり、私が知らない祝日が海外のウクライナ紹介本に載っていたりします。

1月1日［ニューイヤー］

　元旦は、子どもの頃楽しみにしていた、クリスマス以上に重要な祝日です。ソ連時代に宗教が禁止されていたことが、その背景にあるかもしれません。「一年の計は元旦にあり」といわれるように、新しい一年の暮らしの鍵を握る日だと考えられているので、大晦日から準備をして臨みます。父がクリスマスツリー用の美しいモミの木を買ってきて、私も飾りつけを手伝います。もちろん、母がいろんなサラダやおつまみを準備するのも手伝います。ソ連時代からの伝統料理です。ニシンやビーツの入ったオリビエ・サラダやゆで卵で飾ったミモザ・サラダ、バターとイクラのオープンサンド、サラミやチーズ、そして、ローストダック。幸せな思い出です！

1月7日、12月25日［クリスマス］

　ウクライナの国教である正教会のクリスマスは1月7日で、私の住んでいた東部では最近まで12月25日に特別な意味はありませんでした。カトリック教徒の多い西部では以前から12月25日がクリスマスでしたが、この日が正式に国民の祝日となったのは、2017年のことです。

　多くの子どもたちが家々のドアを叩きキャロルを歌って祝福し、お礼にスウィーツやお小遣いをもらいます。ゴッドファーザー（洗礼名の名付け親）を呼んで、クティアという雑穀とケシの実、ドライフルーツの入った料理でもてなす習慣もあります。

3月8日［女性の日］

　ウクライナ人にとってはとびきり大切な休日です。世界的には「国際女性デー」ですが、旧ソ連の国々では、「3月8日」という日付自体が祝日の名として通用し、それがどんな日かは誰でも知っています。女性たちが待ち望む日であり、男性の愛の強さを確かめる日です。男性は早くこの日が過ぎて欲しいと望みます。一年で一番出費がかさむ日ですから。プレゼント需要を見込んで、スウィーツ、レジャー、花などの値段が普段の2倍にまで高騰します。一番大切なのは、もちろんお母さん。続いて娘さん、奥さん、恋人、部下、上司、先生……まあ、関わりのある女性全員といってもいいかもしれません。もし忘れようものなら、その結末は「推して知るべし」です。

春分の日以降の満月の後の最初の日曜日［イースター］

　私の好きな春の休日です。この日は、いつもと違って、「キリストは立ち上がった！」と挨拶し、それに対して「正に立ち上がった！」と答えます。そして、ピーサンキ（絵を描いた卵）やクラシャンキ（色を染めた卵）といった彩り豊かなイースターエッグやイースターケーキを友人・知人と交換するのです。戦時下でもウクライナのあちこちでイースターのお祝いの行事が催されました。平時であれば、行楽や旅行に出かける人たちも多いです。

5月1日［労働者の日］　5月9日［勝利の日］

　5月1日、9日は国民の祝日です。これに振替休日や土日、年によってはイースターも重なるので、そうなると間の平日は休暇を取って連休にしようとするのは日本もウクライナも同じです。「ゴールデンウィーク」という言葉はウクライナにはありませんが、5月上旬はお休みだと思っていいでしょう。木々が緑になり、風に愛の香りが漂い、初夏の予感がするこの時期、人々は自然の中でピクニックをしたり、川で魚釣りをしたり、旅に出たりします。

　5月9日は、第二次世界大戦でソビエト連邦がナチスドイツに勝利した日で、伝統的に軍事パレードで祝われていました。しかし、ロシアによる侵攻を経て、ソ連軍、現在のロシア軍を連想させるシンボルはすべて違法となりました。この休日自体を撤廃する法案も提出されています。

6月28日［憲法記念日］　8月24日［独立記念日］

　ロシアとの軍事衝突を通じてウクライナのナショナリズムが高揚する以前、私は、こういった祝日に対する特別な思い入れを持っていませんでした。たくさんある休日の内の1つに過ぎませんでした。国の独立、自分たちの憲法、言葉、シンボル、そういったものすべての大切さを本当に理解してはいなかったのです。今、私たちウクライナ人は目に涙を浮かべながら憲法記念日や独立記念日の意味を噛みしめています。

10月14日［ウクライナ防衛者の日］

　以前は、ソ連赤軍を讃える「祖国防衛者の日」という祝日が2月23日に定められていましたが、2014年のユーロマイダン革命後撤廃され、かつてはウクライナ・コサックの記念日だった10月14日を「ウクライナ防衛者の日」としました。この日は、正教会の生神女庇護祭でもあり、生神女（聖母マリア）は、ウクライナ・コサックの庇護者ともみなされていたため、当時はこの日に大ラーダ（大会議）を開催して、ヘーチマンと呼ばれる首長を選出し、コサック集団の方針を決めていました。さらには、独ソ戦において両方に対してレジスタンス活動を行ったウクライナ蜂起軍（UPA）の結成日でもあります。

　3月8日に女性を讃えるように、この日は男性や男の子を讃える習わしがあります。ただ、女性の日に比べると控えめなお祝いにとどまります。

政治

　ウクライナは、議員内閣制の枠組みを取りながら、元首として大統領を有する半大統領制の民主共和国です。ウクライナ軍の総司令官と安全保障委員会議長を兼任する大統領は、直接総選挙で選ばれ、任期は5年間です。連続2期を超えてその地位にとどまることはできません。内閣のトップは首相です。

　複数政党で運営される一院制のウクライナ最高会議（定数450名、任期5年）は、通常国会において、選出された大統領の就任式を行い、その任期における所信方針を承認します。同時に、憲法に基づいて大統領を罷免する権利を持ちます。

　政治の現場における腐敗は独立後のウクライナにおいても長年の課題です。それでも、私は、ウクライナが、長年同じ人物が権力の座にとどまり事実上の独裁政治を営んでいるロシアやベラルーシと違って、国民が選挙で自分たちの大統領を選ぶことができる民主主義国家になったことを嬉しく思っています。事実これまで5年毎に毎回違う人物が選出されてきました。でも次の選挙では、もちろんゼレンスキー大統領の再選を望んでいます。

　今世紀のウクライナの政治家で、国際的に話題になった人物といえば、ヴィクトル・ユシチェンコとユーリア・ティモシェンコです。ユシチェンコは、ウクライナ独立後、初めて脱ロシア・親欧州を明確に打ち出した大統領でした。世界を衝撃的なニュースが駆けめぐったのは、2004年、野党「われらのウクライナ」を率いて大統領に立候補した直後でした。大量のダイオキシンを盛られ、端正な顔がボロボロになり容姿が一変してしまったのです。親ロシア派の対立陣営の仕業だと噂されました。

　当時ユシチェンコを支持し、国外メディアに注目されたのが、ティモシェ
ンコです。三つ編みをティアラのように頭に巻いたヘアスタイルは、レー
シャ・ウクライーンカへのオマージュだそうです。「オレンジ革命のジャン
ヌ・ダルク」などと呼ばれ、ユシチェンコの大統領就任後は、首相に任命さ
れました。2人はその後対立し袂を分かちます。今度はティモシェンコが大
統領選に出馬すると、日本では「美しすぎる大統領」誕生かと話題になったそ
うですが、実現はしませんでした。

宗教

Релігія

　ウクライナ人の80%以上はキリスト教徒で、主流は東方正教会です。ロシア正教傘下でしたが、2022年のロシアによる侵攻を受けて断絶を表明し、「ウクライナ正教会の完全な自主性と独立」を宣言しました。信心深いかどうかに関わらず、ウクライナ人の多くが、伝統として正教会の祝日を祝い、儀式に参加します。

　宗教が禁じられていたソ連時代は、共産党の指導者がまるで教祖のように扱われていましたが、ソ連崩壊後、キーウ・ルーシ時代の988年に導入されたキリスト教がほどなく復活しました。イスラム教徒が統治した時代もありましたが、この国に広く根付くには至りませんでした。他にも移民とともに入ってきた多くの宗教が存在します。私の母はユダヤ系なので、ユダヤ教の宗教法規集ハラカの定めによると私もユダヤ人ということになります。

　ウクライナ正教の教会に入った時は、緊張感で落ち着きませんでした。欧州の壮麗な教会建築を見るのは好きですが、美術館に行くような関心からです。儀式の間も人々が会話を続け、子どもたちが走り回って遊んでいるようなシナゴーグの雰囲気のほうが落ち着きます。

　人が希望を持って生きるために、何か信じるものがあることは大切だと思いますが、私自身は、同世代の多くのウクライナ人同様、現代の宗教組織や信仰のあり方には懐疑的です。

医療

Медицина

　1991年のソ連崩壊を受けて独立後、ウクライナは、ウクライナ・ソビエト社会主義共和国（SSR）の広範で高度な医療制度を継承しました。この制度の下では、本来医療は国民に平等かつ無料で提供されることになっていますが、実際は、独立後経済苦境に立たされたウクライナにはそんな財力はありませんでした。医療機関は、総じて予算・人員不足に悩まされている上に、汚職もはびこっているため、患者自身が費用負担をせざるを得なくなりました。ワクチン接種も進んでいないので、HIV、ツベルクリン、肝炎などの罹患率も高く、満足のいく医療サービスが提供されているとは言い難いのが現実です。

　とはいえ、悲観的なことばかりではありません。診療や検査が、平均的な所得の国民が利用できる手頃な料金で提供されていて、民間医療機関での診察は15米ドル、検査は50-100米ドルほどです。かかりつけ医とアポを取るのも難しくなく、医療費が安いのは、ウクライナのよい点です。ほとんどの薬も、薬局に行けば処方箋なしで手に入ります。一方、母の住むドイツでは、頻繁に検査を勧められることもなく、医師とのアポも取りづらく、処方箋なしで買える薬も限られています。それでも、人々は健康的な暮らしを営んでいるように見えるので、健康の秘訣は、別のところにあるのかもしれません。

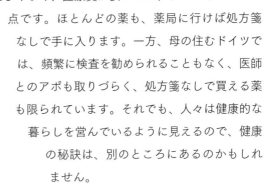

経済

Економіка

　ソ連崩壊後のウクライナは圧倒的なインフレに苛まれ、それまでの巨大国内市場を失う中、産業構造の転換にも苦労するなど、長く経済的に苦しい時期が続きました。2021年の統計によると、ウクライナ経済の規模はGDPで世界40位。人口一人あたりのGDPは世界97位で、ヨーロッパ諸国で最下位です。

　ウクライナの国土には3,200万ヘクタールの肥沃な黒土・チェルノーゼムが広がっていて、これは欧州の耕地全体の実に3分の1にあたります。2015年の数字では、農産物のGDPに占める割合は14%で、国の主要輸出品となっています。畜産業も盛んで重要な産業の1つです。

　国内で、石油、ガス、石炭、ピート、シェールなどの資源が産出されますが、米ワシントンポスト紙は、2022年8月現在、石炭の63%、石油の11%、天然ガスの20%、金属の42%、リチウムなどを含む貴金属類などの重要な鉱物の33%、総額12.4兆米ドル相当がロシアの占領下にあるとのことです。

科学技術

　全長84m、翼幅88m、最大離陸重量84トンと世界最大級の航空貨物機アントノフAn-225、愛称「ムリーヤ（夢）」に象徴されるように、ウクライナは航空宇宙工学の分野で秀でています。ムリーヤはソ連時代に宇宙船運搬用に開発され、初飛行は1988年。2011年の東日本大震災の際には欧州から救援物資を日本に運ぶなど日本とも縁があったのですが、残念ながら、2022年2月、キーウ近郊の空港に駐機中にロシア軍の攻撃で破壊されてしまいました。

　IT分野でも中東欧最大ともいわれるほど豊富な人材を抱えていて、例えばメッセージ・アプリWhatsAppの共同創業者ジャン・コウムや決済アプリPayPalの共同創業者マックス・レブチンがウクライナ出身です。ボーイングやオラクルなど多くのグローバル企業が研究開発拠点を置き、スタートアップも盛んだったのですが、ロシアの侵攻により拠点縮小や人材流出が相次ぎ、この「東欧のシリコンバレー」も衰退の危機に瀕しています。

欧州の穀倉地帯

Житниця Європи

　ウクライナは、「欧州のパンかご」、「欧州の穀倉地帯」などとも呼ばれる農業大国です。EUにとって、ウクライナは、ブラジル、英国、米国と並ぶ最大の農産物輸入元で、この4カ国で全体の34%を占めています。ウクライナ税関によると、EUへの2021年の輸出内訳は、大量のとうもろこし（約36億トン）、小麦（約21億トン）、大麦（約7億トン）、肉（約4億トン）などとなっています。

　2014年以降は特にグローバル化が進み、輸出入の相手もEUにとどまりません。ウクライナからの食糧輸出の80%を占める穀物は、内戦などの問題を抱え食糧を輸入に頼るアフリカや中近東の人々にとっても重要な輸入品です。ロシアによる攻撃が、ウクライナ産の穀物を黒海で足止めして引き起こした食糧危機は、欧州にとどまらず世界中の人々を苦しめているのです。ウクライナの豊かな大地の恵みが、それを必要としている人々の下に速やかに届けられる日が一日も早く戻って来ることを願わずにはいられません。

4

ウクライナを楽しむ

Культура та спорт

レーシャ・ウクライーンカ

Леся Українка

　レーシャ・ウクライーンカ（1871-1913）は、近代ウクライナ文学を代表する詩人であり、翻訳家、文学評論家、フェミニストです。本名は、ラルィーサ・クウィートカ・コーサチュで、今は200フリヴニャ紙幣にその肖像を見ることができます。幼い頃から結核を患い、家庭で教育を受けながら、治療のためクリミア、ジョージア、イタリア、エジプトな

ど温暖な地域を訪れていました。10カ国語ほどの外国語を使いこなしたといいますから驚きです。その才能を生かして、世界の文豪の名著やエンゲルスの『共産党宣言』をウクライナ語に翻訳しました。

　詩人の役割は自民族の意識を目覚めさせることだと信じ、多くの文化人と交流しながら、女性解放運動や民族解放運動にも積極的に参加しました。古代ウクライナの多神教の神話をベースに人間の男性と女神との恋愛を描いた詩劇『森の歌』が最高傑作とされ、オペラやバレエにもなりました。

　ウクライーンカの作品には、権力に屈することなくその本分を生き抜く魅力的な人物たちが登場します。それが、ウクライナ国民の心をとらえ、彼女をこの国の英雄の一人へと押し上げたのだと思います。

タラス・シェフチェンコ

Тарас Шевченко

　タラス・シェフチェンコ（1814-1861）は、ウクライナの国民的詩人です。農奴の家に生まれながら、絵の才能を認められて美術アカデミーに入学しました。在学中にウクライナ語で書いた『コブザール』は、ロシアの知識人に田舎の言葉で書く田舎詩人と批判される一方、ウクライナの文化人からは絶賛されました。作品では孤児や未婚の母、孤独な老人など弱者の悲劇に目を向けるとともに、ロシアの圧力を受け続ける祖国の状況に心を馳せました。自身も、ロシア皇帝ニコライ一世を批判した罪で逮捕され、10年の流刑生活を送るなど、苦難と抵抗の人生を歩んだシェフチェンコは、私たちウクライナ人の共感と尊敬を集め、今も愛されています。

　近代ウクライナ文学の父とされるシェフチェンコの記念碑は、ウクライナ国内に1,200以上、国外にも120以上あるといわれており、国立大学や国立博物館、国立歌劇場などあらゆる施設にその名が冠されています。ロシア帝国時代を生きたウクライーンカやシェフチェンコの記念碑はロシア各地にも現存し、2023年1月14日、ドニプロの集合住宅にロシアのミサイルが着弾し多数の死者が出た時には、その銅像に花やぬいぐるみ、蝋燭などを手向けて追悼の意を表すロシア市民の姿が見られたそうです。

ウクライナ出身の有名人

Відомі люди з України

ニコライ・ゴーゴリ（1809-1852）

　ウクライナ語では、ミコラ・ホーホリ。ロシア帝国時代のソロチンツィに生まれる。ロシア写実主義文学の創始者とされ、ドストエフスキー、芥川龍之介など多くの作家に影響を与えた。代表作に『外套』、『検察官』、『鼻』など。

イリア・メチニコフ（1845-1916）

　ロシア帝国時代のハルキウに生まれ、ハルキウ大学を卒業、オデーサなどで研究を行い、食菌作用の研究でノーベル生理学・医学賞を受賞。免疫学の先駆者でヨーグルト普及の功労者。

セルマン・ワクスマン（1888-1973）

　ロシア帝国時代のノヴァー・プルィルーカに生まれ、オデーサの高校を卒業後に渡米。結核に効く抗生物質ストレプトマイシンなどを発見し、ノーベル生理学・医学賞を受賞。

セルゲイ・コロリョフ（1907-1966）

　ウクライナ語では、セルヒー・コロリョウ。ロシア帝国時代のジトーミルでロシア人の父とウクライナ人の母の間に生まれる。ソ連の初期のロケット開発の主任設計者。1957年世界初の人工衛星スプートニク1号の打ち上げに成功した。

ソロミア・クルシェルニツカ（1872-1952）

　20世紀前半に活躍したもっとも有名なソプラノ歌手の一人。作曲家雑ジャコモ・プッチーニに、「もっとも美しく魅力的な蝶々夫人」といわしめた。リヴィウ音楽院に学び、後に教授も務めた。リヴィウの国立歌劇場にその名が冠されている。

セルジュ・リファール（1905-1986）

ウクライナ語では、セルフィー・リファール。「舞の神」と呼ばれたフランスのバレエダンサー・振付師。ロシア帝国時代のキーウに生まれた。リファール家は、ウクライナ・コサック出身。ロシア・バレエ団を経て、パリ・オペラ座バレエ団の首席ダンサーや舞台監督を務めた。

ミラ・ジョヴォヴィッチ（1975年生）

キーウ出身。本人は、ウクライナ語読みで「ヨヴォヴィチ」と呼ばれることを好む。映画『フィフス・エレメンツ』や『バイオハザード』で有名な米国籍のハリウッド女優。

ミラ・クニス（1983年生）

チェルニウツィ出身。米国在住。『ブラック・スワン』での演技でヴェネツィア国際映画祭新人賞受賞。

2022年3月には、祖国への人道支援のため約3,500万米ドル以上の寄付金を集めて話題となった。

国境や政権は時代によって移り変わり、人も国境を越えて活動したり、帰化したりするため、誰がウクライナ人かというのは議論が分かれるところですが、ここでは、世界的に功績のある、あるいは有名な、現在のウクライナ領出身の人々を取り上げてみました。

伝統工芸

Традиційні ремесла

　ペトリキウカは、私の故郷ドニプロからほど近いペトリキウカ村発祥のフォークアートの一種で、花鳥を主なモチーフとする装飾的で素朴な絵画様式です。2013年に、ユネスコの無形文化遺産に登録されました。

　2019年にはウクライナ西部コシフのフツル人による緑・黄・茶・白で描かれた彩色陶磁器、2021年にはクリミア・タタール人の植物と幾何学文様を組み合わせたモチーフが特徴的な伝統装飾オルネクも同じく無形文化遺産に登録されています。

　モタンカは、布製の人形で、神聖なお守りとして、厄除けや祈りの道具として使われました。「モタンカ」という名前は、「巻く」という言葉に由来し、針を一切使わずに、布で包んだ綿を糸で巻いて作ります。

　ソロチカと呼ばれるウクライナの民族衣装を見たことのある方なら、袖や首元の特徴的な刺繍が目についたと思います。一番人気がある色は赤と黒で、赤は人生の喜び、情熱、愛を、黒は永遠、土を表します。古代ウクライナの人々は、この世は太陽と水と土から生まれたと信じていたので、その3つを表すシンボルが多く使われます。

美術

Мистецтво

　ロシア帝国時代にキーウ近郊の村でポーランド人の両親の間に生まれたカジミール・マレーヴィチ（1879-1935）は抽象絵画の開拓者の一人です。「シュプレマティズム」を掲げ、対象物を描く制約から解放されて絶対的自由を獲得すると唱え、抽象絵画の創成期にその可能性の1つの究極

の到達点を示しました。ハルキウ出身のウラジーミル・タトリン（1885-1953）も、同じ時代に「第三インターナショナル記念塔」など革新的な立体作品で活躍した前衛芸術家です。

　そういった近代アートの最前線とはかけ離れたところで、母から習った刺繍の針を絵筆に持ち替え、民族装飾の伝統を色濃く残す素朴派の絵を描いた画家にマリア・プリマチェンコ（1909-1997）がいます。キーウ近郊の故郷ボロトニア村で生涯のほとんどを過ごしましたが、パリ万博に作品が出品された折にはパブロ・ピカソの絶賛を受けたそうです。

　今人気の画家として思い浮かぶのは、顔の大きなキュートな天使や人物を描くエフゲニア・ガプチンスカ（1974年生）です。ハルキウ出身で同市の美術大学を卒業後、ドイツのニュルンベルクでも学びました。

音楽

Музика

みなさんもきっとクリスマスの時期に耳にしたことがある『キャロル・オブ・ザ・ベル』は、ウクライナ民謡が原曲です。ウクライナの有名な伝統楽器には、バンデューラというやさしい音色の弦楽器があります。日本でも、カテリーナやナターシャ・グジーといったウクライナ人奏者の演奏を聴くことができます。クラシック音楽の世界では、有名なピアニストのウラディミール・ホロヴィッツが、ウクライナ出身で、キーウ音楽院を卒業しています。

　2022年2月のロシアによる侵攻後、特に歌われる機会が増えたのが、『ああ、草原の赤きガマズミよ（Ой у лузі червона калина）』というフォークソングです。侵攻当時、米国ツアー中だったウクライナの人気バンド、ブームボックスは、急遽残りの日程をキャンセルして軍に入隊するため

に帰国。ボーカルのアンドリー・ク
リブニュクがこの歌を歌う動画を公
開するや否や、多くのリミックス版
がネット上に溢れ、一気に広まりま
した。米国の伝説的プログレッシブ
ロック・バンド、ピンク・フロイド
も彼の歌をフィーチャーしたチャリ
ティ・ソング『Hey Hey Rise Up』を
28年振りの新曲としてリリースし
ました。ウクライナを代表するロッ
ク・バンドとしては、他にオケア
ン・エリズィなどが挙げられます。
　アンドリーとのデュエット曲もあ
る国民的歌手チーナ・カローリは、
ロシアによる侵攻後、ウクライナの

惨状と人道支援を訴えるべく来日し、
首相や財界人等と面会しました
　国歌『ウクライナは滅びず』は、も
ともと1917年のロシア革命の時に独
立を宣言したウクライナ民族主義者
たちが歌ったもので、ソ連から独立
後の1992年に再び議会で採択され、
2003年に一部歌詞を変えて正式に国
歌となりました。2012年ウクライナ
が、ポーランドとサッカーW杯を共
同開催した時には、子どもたちまで
もがこの歌を喜んで歌ったものです。

2020年、チョルノービリ原発事故を題材にしたヨハン・レンク監督による米国のTVドラマ『チェルノブイリ-CHERNOBYL-』がゴールデン・グローブ作品賞を受賞し、エミー賞では10部門を独占しました。でも、私にはリアル過ぎて痛々しくなり、観ていられませんでした。ポーランドのアグニェシュカ・ホランド監督の『赤い闇　スターリンの冷たい大地で』は、ホロドモールの悲劇を世界に伝えた実在の英国人記者の姿を描いています。ゼレンスキー大統領が俳優時代に主演したウクライナのTVシリーズ『国民の僕』は痛快で、楽しくご覧いただけると思います。

　ビータ・マリア・ドルィガス監督の『ピアノ-ウクライナの尊厳を守る闘い-』は、ユーロマイダン革命を扱ったドキュメンタリーで、暴力に音楽の力で抵抗する姿が詩的に描かれていて感動的です。2018年のカンヌ国際映画祭の「ある視点」部門で最優秀監督賞を受賞したセルゲイ・ロズニツァ監督の『ドンバス』はフィクションですが、親ロシア派勢力「分離派」による実効支配の様子や情報戦の実態を垣間見せてくれます。ヴァレンチン・ヴァシャノヴィチ監督は、同じくドンバス地方を舞台に、『リフレクション』で2014年の侵略戦争の始まりを、『アトランティス』では2025年を舞台に終戦後の近未来を描いています。

映画

Кіно

ウクライナ・バロック、またはコサック・バロックは、17世紀に創立されたヘーチマン国家の本土ドニプロ・ウクライナ（ドニプロ川中流地域）で、同地の伝統的な建築様式と西欧の建築様式が融合して発展しました。正教国家でありながらポーランド王国下で西欧の影響を受けてきたウクライナで力をつけ、国家解放運動を展開したザポリージャ・コサックの歴代ヘーチマン（首長）たちが、ロシア（モスクワ・ルーシ）からもポーランドからも距離を置きながら自らの文化を振興したため、独自のバロック様式が誕生したのです。

　西欧のバロックに比べて簡略化・様式化された装飾を特徴とし、青や水色など明るい色の壁に、様式的な巻き模様や植物などの装飾模様が施されます。そうした装飾的な要素は、柱や台座などにも同様に見られます。「黄金ドームの都」キーウのペチェールシュク大修道院に属する至聖三者大門教会、ムィハイール黄金ドーム修道院、聖アンドリーイ教会などが代表例です。その多くが、18世紀初めに復元される際に、ヘーチマンのイヴァン・マゼーバによってこの様式に建てかえられたものであるため、マゼーバ・バロックとも呼ばれます。その後、ザポリージャ軍のロシア加入に伴い、ロシアにおけるモスクワ・バロック建築・芸術の形成に大きな影響を与えました。

建築

Архітектура

日本で一番有名なウクライナ人といえば、ロシアによる侵攻に関連してゼレンスキー大統領が注目を集める前は、ACミランやウクライナ代表で活躍したサッカー選手アンドリー・シェフチェンコでした。背番号7にちなんで「シェバ」という愛称で親しまれ、2004年にはバロンドールを受賞した「ウクライナの英雄」です。

何度も世界記録を更新して「鳥人」の異名を取った棒高跳びのセルゲイ・ブブカも伝説的な選手です。1988年のソウル五輪の金メダリストで、世界選手権6回優勝という圧倒的な強さを誇りました。

近年は、ユリア・レフチェンコやイリーナ・ゲラシチェンコなど女子走り高跳びで活躍する選手も多く、東京五輪で銅、オレゴンの世界選手権で銀のヤロスラワ・マフチクは、ロシアによる侵攻翌月の2022年3月に、ベオグラード開催の世界室内選手権で見事優勝を飾り、国内外で感動を呼びました。

ウクライナはボクシング大国としても有名で、ワシル・ロマチェンコ

スポーツ

Спорт

は、北京でフェザー級、ロンドンで
ライト級の金メダルを獲得した後、
プロに転じてからは、世界最速の3
階級王者となりました。時代を遡る
と、アトランタ五輪のヘビー級金メ
ダリスト、ヴォロディーミル・クリ
チコが、WBAスーパー、IBF・WBO
ヘビー級タイトルを獲得、現キーフ
市長の兄ヴィタリー・クリチコも元
WBC・WBO世界ヘビー級王者です。
　日本の武道も盛んで、世界柔道選
手権48kg級で二連覇を果たしたダリ
ア・ビロディドは日本でも人気です。

　新体操世界選手権個人総合では、
イリーナ・デリューヒナが1970年
代に2連覇を達成。2007年にもア
ンナ・ベッソノバが、ライバルのロ
シア勢を抑えて優勝しています。オ
レーフ・ヴェルニャエフは、リオ五
輪男子平行棒の金メダリスト。フィ
ギュアスケートのファンなら、バレ
エで培った表現力を生かして、1993
年プラハ世界選手権、1994年リレハ
ンメル五輪で金メダルに輝いたオク
サナ・バイウルを覚えていることで
しょう。

バレエとオペラ

Балет та Опера

　キーウ、リヴィウ、オデーサに国立歌劇場があり、バレエやオペラは、ウクライナ文化の中で重要な地位を占めています。中でも、キーウの歌劇場は、ソ連時代から、「キエフ・バレエ」として、モスクワのボリショイ劇場、サンクトペテルブルクのミハイロフスキー劇場と並ぶ名門でした。現在の正式名称は、タラス・シェフチェンコ記念ウクライナ国立バレエ・オペラ劇場です。

　同劇場のバレエ、オペラ、コンサートの来日公演数は500回を優に超え、2022年7月から8月にかけては、欧州を中心に世界各地に避難していたダンサーたちが日本に集結し、2月のロシアによる侵攻以降世界初となる公演を16都市で開催しました。その背景には、定期的に招聘を手掛けてきた企画運営会社・光藍社の尽力や、京都の寺田バレエ・アートスクールとキーウ国立バレエ学校との長年の交流があります。11歳でキーウに渡った寺田宣弘が、2022年12月、ウクライナ国立バレエ団の芸術監督に就任し、今後もウクライナと日本とのバレエを通した文化交流がますます発展することが期待されます。

5

ウクライナの歩み

Історія

スキタイ

Скіфія

　紀元前7世紀から紀元前3世紀頃存在したスキタイが、現在のウクライナに近い国土を持つもっとも古い国です。スキタイ人は、黒海北岸の草原地帯を中心に活動したイラン系の遊牧騎馬民族で、王位は世襲性でした。好戦的で、倒した敵の血を飲んだりと、その文化は現代の視点からは「人道的」と呼べるものではありませんでした。重要な地位の人が亡くなると、妻や愛人、召使や馬も一緒に巨大な古墳に埋葬されました。そうした古墳からは、浮き彫りや透かし彫りが施された装飾品や武器・武具などが出土しています。動物や闘いの様子を表現した青銅や金の細工は、現代の私たちをも魅了する素晴らしいもので、スキタイ人の持っていた高い美意識や技巧を示しています。

キーウ・ルーシ

Київська Русь

　キーウ・ルーシ（キエフ大公国）は、9世紀から13世紀にかけて存在した
キーウに首都を置く君主制国家です。東スラブ民族の歴史はこの国家の出現
に端を発します。そのためロシアは、キーウを「ロシアの諸都市の母」と見な
していますが、そこが現在ウクライナという正統な継承国の首都であること
を理解してもらう必要があります。私たちのトルィーズブ（三叉戟）の紋章も
フリヴニャ硬貨もキーウ・ルーシの時代から今に伝わるものです。

　大公の一人、ヴォロディーミル一世（ウラジーミル一世）による10世紀のキ
リスト教導入は、以降のウクライナ文化に大きな影響を与える歴史的な出来
事でした。

コサック

Козаки

　ウクライナ人にとってのコサックは、日本人にとっての侍、北欧人にとってのバイキングのような存在です。野蛮なところもありますが、そこは目をつぶって、自分たちの民族の強さや勇敢さを象徴する歴史的存在として、誇らしげに語られます。コサックは英語読みで、ウクライナ語では「コザーク」といい、その呼び名は、「自由人（社会から離れた人）」という意味のトルコ語を起源とする「コザーシュ」というポーランド語に由来します。

　ウクライナ・コサックは、15世紀以降、ドニプロ川の中下流域で活動したコサックの軍事的共同体で、もともとは国ではなく傭兵集団と受け取られ、時には単に盗賊と見なされました。当初は、リトアニア・ポーランド共和国へ従属していましたが、最大のコサック蜂起、フメリニツキーの乱を経て、17世紀から18世紀にかけてヘーチマン国家を営みました。「ヘーチマン」は、コサックの首長を指し、ザポリージャなどにあった本営地は「シーチ」と呼ばれました。ホールツィツァ島にあるシーチでは、今も当時の様子を見学することができます。その後、モスクワのツァーリと同盟を結んだものの裏切られ、18世紀以降は、ロシア帝国への従属を余儀なくされました。

　「コザツィカ・ラーダ」と呼ばれる議会においてヘーチマンを選挙で選ぶなど民主主義的な伝統もあり、17-18世紀の建築や芸術における、ウクライナ・バロック様式の発展にも大きな役割を果たしました。日本でも有名なコサック・ダンスは、武術や軍事訓練から発展した舞踊で、正式には「ホパーク」と呼ばれ、現在はオペラやバレエの演目の一部にも取り入れられています。

ソビエト連邦の時代、ウクライ
ナは「ウクライナ・ソビエト社会主
義共和国」と呼ばれていました。ス
ターリンによるホロドモールや、大
勢のウクライナ兵が満足な武器も与
えられないまま前線へと放り出され
命を落とした「大祖国戦争（第二次世
界大戦中の独ソ戦争）」、チョルノー
ビリ原発事故などこの時代における
ウクライナ人の受難は筆舌に尽くし
難いものがあります。日常生活にお

いても、ウクライナ文化や言語の抑
圧、政治的な弾圧との戦いがありま
した。

　私は、1991年のウクライナ独立以
降に生まれた世代ですが、ソ連時代
の負の遺産をひしひしと感じて育ち
ました。国家を挙げてのコスト削減
のため退屈で似たような建物が並ぶ
都市、「クルシチョフ」という党書記
長の名前のついた安っぽいプレハブ
集合住宅、老朽化した病院や劇場な

ソビエト連邦時代

Радянська доба

どの文化施設、すべてに社会主義の名残が色濃く残り、慢性的な資金不足が影を落としていました。両親に思い出を聞いても、パンや牛乳を買うための長い行列や不健康な環境の工場での薄給での労働といった答えしか返ってきませんでした。

　私が5歳の頃、アメリカのTV番組や映画を観たり、日本や中国、エジプトの本を読んだりしても、そんな

に美しい場所が本当にこの地球上に存在しているとは信じられませんでした。独立後32年間かけてウクライナも徐々に発展し、今では住み心地のよい国になりました。そんな祖国がこの瞬間もロシア軍の攻撃に晒されていると思うと怒りが込み上げてきます。そして、今なおソ連時代の亡霊に取り憑かれているロシアの人々をかわいそうにさえ思います。

ホロドモール

Голодомор

　ホロドモールとは、文字通り「飢餓による殺人」です。この言葉は、1932年から翌1933年にかけてソ連政府が人為的な飢饉によって450万人ものウクライナ人を餓死させた大虐殺を指します。毎年11月の第4土曜日はそうした人為的な飢饉の犠牲者たちを追悼する日です。各家庭では、窓際に蝋燭を立てて亡くなった祖先を弔います。

　1920年代にスターリンは工業化の進むソ連から余った農作物を輸出する政策を推進し、「欧州の穀倉地帯」と呼ばれたウクライナは大きな役割を担いました。コルホーズと呼ばれる集団農場の名の下に農地や作物は国に奪われ、数千人もの農民たちが

シベリアの強制収容所に送られました。ウクライナでは、1930年前半だけで約4,000回もの農民デモが記録されています。

　1931年の不作を受けて、スターリンは、「ナショナリスト」の粛清や「反革命主義」の脅威の壊滅によってウクライナを模範化するよう指示し、1932年までに100万人近い人々を死に追いやりました。1932年には家畜まで奪い、戸別訪問で根こそぎ食物を奪い去りました。1933年にはベラルーシやロシアへのルートを閉ざして農民たちが逃れる道さえも塞ぎ、1933年末までに400万人のウクライナ人と50万のまだ生まれぬ赤ちゃんが命を奪われたといいます。

とんでもない数ですがそれだけではありません。何も食べるものがない場所で人はどうやって生きるのか、そして、死んでいくのか考えたことがありますか？　祖父の両親は死んだ親戚の人肉を食べ、祖母の両親は死んだ兄弟姉妹の肉を食べたといいます。みんなそうするしか他に方法がありませんでした。村中に横たわる膨れ上がった屍や死にかけた人々を時折トラックの定期便が来ては、集団墓地に運搬して行きます。誰も逃げられない、誰も助けに来ることのできない場所で、ウクライナの農民たちは、仕組まれたゆるやかで凄惨な死へと追いやられたのです。

オレンジ革命

Помаранчева революція

　オレンジ革命は、2004年の大統領選挙におけるヴィクトル・ヤヌコーヴィチ勝利という中央選挙管理委員会からの結果発表を受けて、第一野党側の対立候補だったヴィクトール・ユシチェンコの支持者たちが繰り広げたウクライナ市民による抗議集会、ストライキなどの抵抗運動です。2004年11月22日、大規模な選挙不正への反発として始まりました。ユシチェンコ率いる「われらのウクライナ」党のシンボルカラーがオレンジ色だったためそう名づけられました。

　欧米の後押しもあってこの運動は実を結び、再投票の結果、ユシチェンコが勝利して、ウクライナで最初の脱ロシア・親欧州の大統領に就任しました。私が6歳の時のことですが、祖父母と両親がどちらの候補を支持するか、親ロシアか親欧州かで激しく言い争っていたのを覚えています。

ユーロマイダン革命

Революція Євромайдану

　ユーロマイダン革命は、内閣による政治腐敗、そして、警察や特別警察による恣意的な取り締まりに反発し、欧州寄りの外交路線を支持する愛国主義的抵抗運動です。別名「尊厳の革命」とも呼ばれます。2013年11月21日、内閣が欧州連合との協力関係締結に向けての手続きを中止したことへの民衆の反対運動として始まり、11月30日夜のキーウにおける暴力的なデモ排除活動を受けてさらに大きく広がりました。マイダンとはキーウの独立広場を指し、そこが多くの活動や対決の舞台となったことからこう呼ばれるようになりました。集会、デモ、学生のストライキとして始まった運動が、それらに対する当局の過剰な取り締まりを経て、暴力的な対決へと激化しました。

　私もこの頃のことはよく覚えています。私たちは、民主主義の文明国の仲間入りをしたかったのですが、プーチン政権の傀儡であるヤヌコーヴィチ大統領がこれを阻止したのです。私たちウクライナ人は独立と民主主義のためならいつでも戦う心構えがあります。でも、24歳になるまでに、二度の革命、さらに戦争までも経験することになろうとは想像さえしていませんでした。

クリミア併合

Анексія Криму

　ウクライナ領内のクリミア半島の大部分を占めるクリミア独立共和国が、2014年3月18日国際法に反する一方的かつ暴力的な方法でロシアに併合されました。ロシア側はその2日前に実施された住民投票の結果を受けての措置だとしていますが、誰もそんなことは信じていないでしょう。2014年8月にはクリミア共和国閣議会のアクショーノフ議長が、クリミアの強奪はプーチン大統領の指示によるものだったと述べています。

　2014年3月6日にクリミアのタタール系TV放送局ATRのウェブサイトで開始されたオンライン住民投票ではクリミア半島のロシアによる併合について自由に意見を表現することができ、反対派が多数を占めていたのですが、その翌日には、同サイトのインターネット接続が遮断されてしまいました。

　クリミアに住むロシア系住民が、ウクライナ政府によるウクライナ語化政策などに不満を募らせていたことは事実ですが、だからといってロシア国民になりたがっていたわけではありません。そして、先住民族であるタタール人は、常にロシアに対して懐疑的でした。

　プーチン大統領がウクライナ国家の主権を侵害し、国際的な民主主義を冒涜したことは疑いなく、今日の世界でそのような暴挙が許されてよいはずはありません。

ロシアと欧米のはざまで

Між Росією I Заходом

　ウクライナは、その歴史を通じて、ロシアと欧州のはざまで翻弄されてきました。西部はポーランド・リトアニア、オーストリア・ハンガリー、東部はロシア帝国と、その領土は目まぐるしく近隣列強の統治下におかれ、さまざまな文化の影響を受けてきました。現代では、ロシアと欧州の緩衝地帯、そして、ロシアと欧米諸国の盟主たる米国の睨み合いの場にもなっています。1994年のブダペスト覚書では、米英ロによる安全保証を条件に、ソ連時代の遺産として引き継いだ大量の核兵器を放棄しましたが、結局その約束は守られませんでした。

　私自身がその時代を生きたわけではありませんが、全体主義や共産主義はもうソ連時代で懲り懲りです。悪いことばかりではなかったとノスタルジアで語られることもありますが、ロシアによる侵攻を受けて、ウクライナのみならずバルト三国でもソ連時代の記念碑や銅像が次々と撤去されています。もう誰もあの時代に戻りたくはないのです。自分の祖国には、近代的で先進的な民主主義世界の一員であって欲しいと考えています。

　しかし、本当の課題は、どの陣営に属すかではなく、いかに独立した主権国家たるか、であるはずです。私たちは、他国の一部としてではなく、ウクライナとして自らの意志で進んでいきたいのです。独立後32年間、完全な形ではないにしろ、初めて長期にわたり自由を獲得することができましたが、今またそれが脅かされています。

EUにおけるウクライナ支援

Підтримка України в ЄС

　ロシアによる侵攻を受けて、多くのEU諸国、そして、国民のみなさんが、ウクライナへの連帯を表明し、支援の手を差し伸べてくださいました。滞在許可や生活保護など各国政府による公的な支援にとどまらず、衣類や食事、家財道具などを差し出してくれる人々が後を絶たず、期限も切らずに無償で部屋を貸してくれる人もいます。その数々の親身な援助は感動的なほどです。オランダに子連れで避難した私の友人は、オランダ人のホストファミリーが、彼女たち親子がさびしくないようにとウクライナに残る2人の家族の写真を家中に飾ってくれたと喜んでいました。「欧州の同胞」として数百万人に上るウクライナ人たちを受け入れ、手を差し伸べてくれた欧州のみなさんに心より感謝します。

　一方で、「ウクライナは兄弟」というロシアが、なぜその同胞を殺戮し、国民はそれを容認しているのでしょうか？　不幸が自分の家の玄関をノックするまでは何も感じないのでしょうか？　自らの意思でウクライナからロシア側に逃れた人たちもいますが、何の支援も受けられず、むしろ疎まれたと聞きます。一時は、ソビエト連邦という同じ国に属していた地域ですから、ウクライナとロシア両方に家族や親戚がいる人もめずらしくありません。「心の中で内戦が起きているようで、開戦後は何日も涙が止まりませんでした」と話す友人もいます。

日本におけるウクライナ支援

Підтримка України в Японії

　ロシアによるウクライナ侵攻後、日本でもさまざまな形でウクライナへの支援が行われています。政府による支援措置には、ドローン、防弾チョッキ、ヘルメット、防寒服、衛生資材、非常食、医療用資材、民生車両、越冬用器具などの提供、ウクライナおよび周辺国への緊急人道支援（2億ドル）、財政支援（6億ドル）、避難民の受け入れ（2023年2月時点で約2,300人）、自衛隊機によるUNHRC（国連人権理事会）の人道物資支援の輸送協力などが含まれます。2023年2月20日には岸田首相が、55億ドルの追加財政支援を表明しました。

　日本財団は、ウクライナからの避難民に3年間で50億円規模の人道支援を行うことを発表しました。キーウの姉妹都市・京都、オデーサの姉妹都市・神戸をはじめとする多くの自治体が、受け入れたウクライナからの避難民のための住宅・就労支援、相談窓口など独自の支援を行っています。

　福岡県太宰府市の日本経済大学が、ウクライナ避難民学生支援基金を設立し、ウクライナから日本語を学ぶ留学生60人以上を授業料全額免除で受け入れるなど、学術機関による支援も実施されています。

　楽天の三木谷浩次社長が、ロシアによる侵攻直後に個人として10億円を寄付、冬に発電機500台を寄贈したのをはじめ、多くの個人や民間企業が、寄付、物資提供、チャリティ・イベントの開催やチャリティ・グッズの企画・販売など、さまざまな形でウクライナ支援を実施・継続しています。金銭や物資以外でも、ウクライナとの連帯や戦争反対の意思をことあるたびに表明することでウクライナの人々を勇気づけることができます。日本のみなさまのあたたかい支援の輪に感謝します。

ウクライナからの脱出

逃避行

「2月24日から運気がとても悪くなる。怖いからしばらく西のほうに行っていようよ」。占星術に詳しい友人のその言葉がきっかけで、サーシャはポーランドとの国境に近いリヴィウへと旅立つことにした。当初は半分休暇のつもりで、住み慣れたドニプロの街にしばらく戻って来られなくなるとは思ってもいなかった。出発当日の午前5時半、街のどこからか爆発音が聞こえ、部屋の窓が激しく揺れた。何かはわからなかったけれど、ただならぬ事態だとは想像できた。リヴィウに向かう列車に乗り込んだサーシャたちは、結局そこでは降りずに、そのままウージュホロドまで乗り越して、スロバキアへの国境を越えることを決意する。

25時間におよぶ長旅の末たどり着いた国境の街には、すでに大勢の人々が殺到していて、スロバキア行きのバスの中で16時間も足止めを喰う羽目になった。長くかかったのはウクライナからの出国手続き。持ち出し上限の1,000米ドルを超える現金を持っていないかなど、一人ひとり所持品を念入りに検査された。一方、スロバキア側の受け入れ手続きはあっという間に終わり、一旦入国すると無料で食事が振る舞われるなど、手厚い歓迎を受けた。サーシャは、スロバキアのコシツェで再び列車に乗り込むと、さらに8時間かけてチェコのプラハに移動し、そこからさらに列車を乗り継いで母の住むドイツのミュンヘンへと向かった。

ウクライナ難民に好意的な欧州

　ウクライナから避難した人々への待遇は、これまでのシリアなど中東やエリトリアなどアフリカからの難民への対応と比べ、驚くほど好意的だ。国境で食料や生活必需品を配る人、仮の住居を提供する人など、さまざまな支援の輪が広がっている。欧州内では一時は列車や公共交通機関が無料、一部の航空会社も無料や大幅割引で座席を提供するなどさまざまな便宜が図られた。

　その背景には、ロシアからの理不尽で一方的な侵攻というわかりやすい戦争の構図やEU加盟国ではないものの隣接するウクライナへの「欧州の同胞」意識があるに違いない。もう1つ忘れてはいけないのが、ロシアと国境を接する国々を中心に欧州の多くの国が、冷戦終結後もロシアを共通の「現実の脅威」と認識してきた点だろう。「明日は我が身」なのだ。国境を接しない中立国スウェーデンでさえ、2014年のクリミア併合以降ロシアの脅威への軍事準備を進め、2017年看過できないレベルに達したとみると徴兵制を復活させ、ロシアによるウクライナ侵攻開始後の2022年5月にはフィンランドとともにNATO加盟を申請した。バルト三国などは、ウクライナ同様、ロシアと国境を接し、国内にもロシア系住民・ロシア語話者を一定数抱えるため、それを口実にいつロシアが攻めて来るかもしれないと緊張感が高まっている。

入国検査ジョーク

　昔から知られる英語の入国審査ネタのジョークに、

"Nationality?（国籍は？）"

"Russian.（ロシアです）"

"Occupation?（職業は?）"

"No, just visiting.（いえ、ただの訪問です）"

というものがある。

"Occupation"に「占領」というもう1つの意味があることにかけた、旧ソ連諸国で語られていたジョークだが、今となっては本当に笑えない話になってしまった。ちなみに、そうした国の人々は、被占領時代の歴史に基づいて自分たちの国が未だに「旧ソ連」と一括りに呼ばれることを快く思っていない。

サーシャの家族

数年前からミュンヘンに住む母の下に逃れることができたサーシャは、比較的恵まれた立場にあるといえるだろう。それでも、故郷に残る父や親族のことを思うと、不安や悲しみが絶える日はない。男性には出国制限が課されているため、建築事務所を営む父は、今もドニプロの街に残って仕事を続けている。建築家たる矜持なのか、電話口の向こうから、終戦後の復興についての展望を力強い声で語ってくれるのだという。一方、同じくウクライナに残る伯母からは、お別れのメッセージとも取れる電話があった。

この戦争で祖国を追われ、国外に逃れたウクライナ人の数は、2023年1月時点で1,450万人を超え、国内避難者の数も470万に上る。

戦場となった祖国への帰郷

サーシャは、2022年7月下旬と9月上旬の二度、戦禍の祖国ウクライナへ里帰りしている。戦時下の「ウクライナに帰る」などということが可能なのか、日本人には想像すらできないが、家族に会ったり救援物資を届けたりするために一時帰国する人は少なくない。ロシアの攻撃によるインフラ被害を受けて電力・水不足が深刻なウクライナの現状を踏まえ、寒さの厳しい冬の間は「帰国を控えるように」と政府から通達があったくらいだ。

戦争は怖い。しかし、終戦の目処は立たない。例え停戦になったとしても、隣国からの脅威は手を変え品を変え続くに違いない。そんな状況の中、一時的には我慢できた異国での生活への不便や郷土愛から、「人はどこにいてもいつか は死ぬ」と半ば諦念にも似た気持ちで再定住のため祖国に戻る人もいるという。

なぜ危険を顧みず祖国に戻ったのか？

サーシャの帰国の理由は、米国行きに備えてのパスポート更新。平時なら2週間ほどで発行されるところだが、膨大な数の国民が国外へと脱出している現在は手続きに時間を要し、1ヶ月以上かかるという。申請はEUとの国境に近いウクライナ西部の街リヴィウで行ったのだが、30日以上続けてEUを離れてしまうとせっかくドイツで取得した滞在許可が無効になってしまう。そのため、申請と受領の二度に分けて帰国し、その機会に父の残る故郷ドニプロまで足を延ばしたのだった。

EU を離れウクライナへ

　EU内からリヴィウまでの22時間の移動には、ウクライナ人コミュニティが運営するマイクロバスを使った。見送りに来ていた家族や友人には涙をこらえきれない人が多かった。「二度と会えないかもしれない」という空気が漂っていたからだ。戦場と化した祖国へ戻るバスの旅を、猛獣に襲われるかもしれない危険になぞらえて、「サファリ」と呼ぶ人もいるという。

「普通の生活」が営まれている街リヴィウ

　リヴィウは、ナショナリズムの気運の高い街。ウクライナ全体ではロシア語を母語とする人が3割ほどいて、ウクライナ語とロシア語をどちらも話す。しかし、リヴィウではロシア語を話していると露骨に顔をしかめられる。そのリヴィウで7月に見た光景は、サーシャにとって驚きだった。人々は働きに出かけ、レストランもバーも営業している。ロシアから遠いとはいえミサイル攻撃の標的となることもあり、もちろん危険が全くないわけではないのだろうが、短い滞在中の印象では、そこにはまだ「普通の暮らし」が残されているように見えた。実際、国内にはとどまりたいが戦争被害はできるだけ避けたい人たちが東部から移り住んで来るため、西部地域の家賃が高騰しているという。

兵士たちと乗り合わせた列車の旅

　リヴィウからドニプロまでは、19時間列車に揺られた。サーシャ自身予想していなかったことだが、国内の鉄道は戦争勃発後もかなり

きっちりと運行されている。一時の国を脱出する人でぎゅうぎゅう詰めというような状況は解消され、運賃の高騰もなく、結構普通に乗客はいる。航空便が途絶えた今、軍人や物資の輸送手段としても、鉄道網は戦前以上にその重要性を増しているのだ。ミサイルが列車を直撃した事件も報道されていたし、怖くなかったといえば嘘になる。ミサイルはいつどこに飛んで来るかわからない。父からは、確率的に安全性の高い後方車両に座席を取るようにいわれ、そうした。

車内では多くの兵士たちと居合わせた。サーシャと同世代くらいの兵士たちは誠実な者が多い印象だが、金目当てやアルコール依存症らしき者もいる。多くのウクライナ人は、そういう兵士たちを「ロシア兵と変わらない」と冷やや

かな目で見ている。サーシャはそんな態度の悪い軍人の癇に障ることのないよう息をひそめるので精一杯だった。一方で、前線で想像を絶する苦境や危険に晒されてきた彼らが、平然といつも通りの暮らしを営んでいる人たちを見て不満や不公平に思うのも分からないではなかった。

ドニプロで父と再会

ドニプロでは、貸し出すために自分の住んでいたアパートを片付け、父の所に滞在した。会うのはこれが最後になるかもしれないという思いがつきまとい、感傷的にならずにはいられなかった。普段でも人はいつどうなるかわからない。交通事故に遭うかもしれないし、病魔に侵されるかもしれない。でも、父が戦場に住んでいるとい

う思いはやはり特別なものだ。空港の近くなので、ミサイルがよく飛んで来る。迎撃システムが配備されているが、毎晩のように防空警報が鳴り響く。砲撃は大抵午後10時から午前6時の深夜だ。サイレンは、10分で終わることもあれば4時間鳴りっぱなしのこともあった。今はアプリがあるので、防空警報は通常5分で鳴り止む。

建築家の父は戦闘に従事しているわけではなく、自分の仕事を続けている。不思議に思うかもしれないが、戦時中でも建物の建設は続いている。人は「生きる」ことをやめるわけにはいかない。誕生日になればお祝いするし、結婚する者もむしろ増えた。滞在中、父が庭でバーベキューをしてくれた。久しぶりに食べるウクライナ産の安くておいしい野菜は最高だった。

帰途で足止め

リヴィウからミュンヘンへと戻るバスは、ルーマニアとハンガリーの国境で2回足止めされた。まずルーマニア国境では、理由もわからず入国を拒否され、生後6ヶ月の赤ちゃんや幼い子どもを連れた乗客もいる中、6時間足止め。運転手が仕方なく係官の買収まで試みたがうまくいかず、朝の担当交代を待ってなんとか入国できた。無事、国境間の自由な往来を許可するシェンゲン協定のあるEU内に戻って一安心していると、今度はハンガリーでまた国境検査。親ロシア派の政権なので意地悪されているのかと勘ぐらずにはいられなかった。決して楽な旅ではなかったが、サーシャはこうして何とか二度の帰国を果たしたのだった。

ひまわり

Соняшник

　ひまわりは、ウクライナを象徴する花で、個人的にもとても好きな美しい花です。ひまわり畑をウクライナの風景として世界的に有名にしたのは、私が生まれるずっと前に公開されたソフィア・ローレン主演の名作映画『ひまわり』。第二次大戦で生き別れた夫をひまわり畑で必死に探す姿が、戦争の悲劇を象徴する美しくも悲しいシーンとして世界中の人々の脳裏に焼き付いているそうです。日本では、ロシアのウクライナ侵攻を契機に多くの映画館でリバイバル上映されました。ウクライナ人にとっては、おやつになる種や食用油を採取するための実用的な植物というイメージも強いです。実際、世界で産出さ

れるサンフラワー油の約3分の1がウクライナ産で、
国際貿易におけるシェアは約半分を占めています。
　ロシアによる侵攻の際、映画『ひまわり』のロケ
地でもあるヘルソン州で、あるウクライナ女性が
ロシア兵に向かって、「あなたが死んだら、ひまわ
りの花が咲くようにこの種をポケットに入れて行
きなさい」と種を差し出しました。その様子がSNS
で拡散され、ひまわりは、世界中の人々がウクラ
イナへの連帯を表明するシンボルにもなりました。
祖国の美しいひまわり畑が、このまま戦車の通り
道や焼け野原になってしまわぬよう、一日も早い
戦争の終焉を祈っています。

ウクライナ支援のために　Як підтримати Україну

在日ウクライナ大使館

大使館を通じての寄付金は、医薬品の確保や、被害を受けた病院や学校などの再建に役立てられます。

【寄付口座】

銀行名：三菱UFJ銀行　支店名：広尾支店（支店番号：047）

口座種類：普通口座　口座番号：0972597

口座名義：エンバシーオブウクライナ

日本ユニセフ協会

https://www.unicef.or.jp/kinkyu/ukraine/

子どもとその家族が支援の対象。安全な水の提供の他、妊婦や新生児のために物資を送るなど保健医療面の支援も行っています。

国連UNHCR協会

https://www.japanforunhcr.org/campaign/ukraine

難民の保護・支援、現金給付、子どもや女性の保護等の活動を行っています。

WFP（国連世界食糧計画）

https://ja.wfp.org/emergencies/ukraine-emergency

紛争によりウクライナ国内、また、近隣諸国へ避難している人々へ食料支援を行っています。

ピースウィンズ・ジャパン

https://peace-winds.org/support/ukraine

避難所の人々へ食料・衛生用品の支援、また、ペット用品の支援、提携団体を通じたウクライナ国内への医療物資の支援等を行っています。

ウクライナ語の基本表現　Базові українські фрази

おはようございます。 → Доброго ранку. ドブロホ ラーンク。

こんにちは。 → Добрий день. ドーブリー デーン。

こんばんは。 → Добрий вечір. ドーブリー ヴェーチェル。

さようなら。 → До побачення. ド・ポバーチェンニャ。

ウクライナ → Україна　ウクラィーナ

日本 → Японія　ヤポーニヤ

日本へようこそ！ → Ласкаво просимо до Японії!

　　　　　　　　　ラスカヴォ・プロスモ・ド・ヤポーニー！

お元気ですか。 → Як справи? ヤーク スプラーヴィ。

元気です。ありがとう。 → Добре, дякую. ドーブレ。ヂャークユ。

お名前は？ → Як вас звати? ヤーク ヴァース ズヴァーティ？

（私の名前は）…です。 → Мене звуть ... メネー ズヴーチ …。

（初対面で）どうぞよろしく。 → Приємно познайомитися.

　　　　　　　　　プレイェームノ ポズナーヨムェテシャ。

はい。 → Так. ターク。

いいえ。 → Ні. ニー。

乾杯！ → Будьмо!　ブージモ！

どうもありがとう。 → Дякую. ヂャークユ。

どういたしまして。 → Прошу. プローシュー。

すみません。 → Перепрошую. ペレプローシュユ。

ごめんなさい。 → Вибачте. ヴィバーチテ。

ウクライナに栄光あれ！ → Слава Україні! スラーヴァ・ウクライーニ！

（返答として）

英雄たちに栄光あれ！ → Героям слава! ヘローヤム・スラーヴァ！

おわりに

Післямова

　本書は当初「今はウクライナというと戦争の話ばかりだから、ウクライナのいろいろな側面を知ってもらおう」という主旨で企画されました。ロシアによる侵攻で国を追われ、避難民になってしまったサーシャの実体験を、私がコラムを連載しているTRANSCREATION® Lab.というウェブサイトに書いたのが直接のきっかけです。当時ミュンヘンに避難していたサーシャは、辛抱強くオンライン取材に応じてくれました。興味の幅が広く、多くの国を旅していろいろな国の人々と話をしてきた彼女ならではの観察眼と語り口に感心して、彼女となら興味深い本ができそうだと直感したのです。

　サーシャはもともと海外志向が強く、時折連絡を取り合っていた背景

にも彼女の日本への関心がありました。しかし、外国で暮らすことで自国のよいところを再認識し、さらには避難民となってしまったことで祖国への愛着を募らせたようでした。本書の執筆は、彼女にとってもあらためてウクライナという国をさまざまな角度から見つめ直す貴重な機会となりました。

　いざ書き始めてみると、戦争が想像以上にあらゆるところに影を落としていることにあらためて気づきます。どんな話題を語るにも、その影響に目を向けざるを得ないのです。暗い話ばかりにならないよう配慮したつもりですが、当初の目論見とは違い避けては通れない部分もありました。

　サーシャは、「ロシアによる侵攻前は、世界のほとんどの人たちが、ロシアもウクライナも同じようなものだと思っていた。ウクライナのことなど知っている人はほとんどいなかった」と話していましたが、世界的ベストセラー『ペンギンの憂鬱』で知られる作家アンドリー・クルコフも、「ウクライナは長年、ロシアの影に隠れて無視されてきた。この戦争で、世界はウクライナについて何も知らないことに気づいた」と語っているそうです。

　本書は、一人の「普通のウクライナ人」の体験やウクライナ観をつづったものですが、ウクライナのことを知ることでその現状にもっと関心を寄せてもらいたい、という思いは、2人に共通する発信の原動力です。

　サーシャのロシアへの態度は辛辣

です。彼女にとっては、自国を破壊し自国民を殺害している「敵国」であり、非人道的な戦争犯罪を犯している「テロリスト国家」であることを考えると無理もありません。「この戦争を止められるのはロシア人だけなのに、ロシア人の7、8割がプーチン政権を支持している」と彼女はいいます。ただ、その統計にどこまで信憑性があるのかは疑問です。ロシア人の友人もいますが、みんなが戦争を支持しているわけではないことはいうまでもありません。例えば、NHKのBS1スペシャルは、ロシア国内にロシア経由でウクライナ人をEUに避難させている地下ネットワークがあり、その登録者はサンクトペテルブルクだけでも1万人を超えていると伝えています。

ロシアによるウクライナ侵攻に際して、欧州の人々は我先にと支援の手を差し伸べました。ロシアの一方的で理不尽な侵略行為への憤りはもちろん、ウクライナ人への同じ欧州人としての同胞意識もあるでしょう。ポーランドやリトアニアにとっては、かつて自国の領土だったという歴史もあります。旧ソ連諸国では（こうやって一括りに呼ばれるのを当人たちは嫌うのですが）、「明日は我が身」という危機意識があり、文字通り他人事ではないのです。

実際、同じくロシア系住民・ロシア語話者を数割抱えるバルト三国などでは、ソ連時代の記念碑を撤去したりロシア語放送を禁止したり過敏とも思える反応が見られました。避難してきたウクライナ人の子どもが

学校で自分の母語であるロシア語を喋ったら「言語警察」のような機関に通報されてしまったという笑えない話もあります。

ウクライナ国立バレエ団は、日本公演に際して、ロシア人のチャイコフスキー作という理由で「白鳥の湖」を演目から外しました。言語や芸術に罪はないと思うのですが、国民感情を考えると簡単に結論の出る問題ではありません。当事国・周辺国の政治家たちが、「人権」よりも「安全保障」のほうが優先だといって憚らない一方、お互いによる言語や文化の政治的弾圧が負のスパイラルを産んでいるようにも見えます。

私には、サーシャの他にも、ウクライナ訪問に際してお世話になった荻野トーニャさんをはじめ、何人か

ウクライナ出身の友人がいるのですが、多くの日本人にとってウクライナはやはり遠い国です。現在ウクライナ人が体験している悲惨な状況をかわいそうだと思い、同じくロシアを隣国として持つ身として怖いとも思うけれど、なかなか本気で自分事として捉えることはできません。この本を読まれた方が、サーシャという一人のウクライナ人の話を通じて、少しでもウクライナという国、そして、ウクライナの人々を身近に感じてくれたなら、それにまさる喜びはありません。

ウクライナに平和を!
西田 孝広

ウクライナをもっと知る　Додаткова інформація

『日本とウクライナ 二国間関係120年の歩み』
ヴィオレッタ・ウドヴィク著／インターブックス／ 2022年
『ウクライナを知るための65章』
服部倫卓、原田義也編著／明石書店／ 2018年
『ウクライナ・ファンブック:東スラブの源泉・中東欧の穴場国』
平野高志著／パブリブ／ 2020年
『本当のウクライナ - 訪問35回以上、指導者たちと直接会ってわかったこと - 』
岡部芳彦著／ワニブックスPLUS新書／ 2022年
『ウクライナ丸かじり - 自分の目で見、手で触り、心で感じたウクライナ- 』
小野元裕著 / ドニエプル出版 /2006年
『中学生から知りたいウクライナのこと』
小山哲、藤原辰史著／ミシマ社／ 2022年
『ウクライナから愛をこめて』
オリガ・ホメンコ著／群像社／ 2014年
『シェフチェンコ詩集』
藤井悦子編訳／岩波書店／ 2022年
『ウクライナの心 - ウクライーンカの悲劇 スコヴォロダの寓話 - 』
中澤英彦、インナ・ガジェンコ編訳 / ドニエプル出版 /2022年
『ウクライナに愛をこめて ウクライナ美術への招待』
海野弘著／パイインターナショナル／ 2022年
『物語 ウクライナの歴史　ヨーロッパ最後の大国 』
黒川祐次著 / 中公新書 /2002年
『ウクライナ・ナショナリズム 独立のジレンマ』
中井和夫著 / 東京大学出版 /1998年
『ウクライナ現代史 独立後30年とロシア侵攻』
アレクサンドラ・グージョン著、鳥取絹子訳 / 河出新書 /2022年
『ウクライナ戦争』
小泉悠著／筑摩書房／ 2022年
日本ウクライナ友好協会KRAIANY（ウェブサイト→https://www.kraiany.org/）

オレクサンドラ・スクヴォルツォヴァ
Олександра Скворцова

愛称は、「サーシャ」。ウクライナのドニプロ出身。1998年、ソビエト連邦時代のウクライナ出身の、ロシア系の父とユダヤ系の母の間に生まれる。2021年ドニプロ土木工学・建築アカデミー卒業。建築事務所での仕事やモデル業を経験。

ロシアによる侵攻を受け、ドイツのミュンヘンに避難。現在は、避難民として米国テキサス州在住。ウクライナ語、ロシア語、英語、ドイツ語を話す。欧州各国、メキシコ、セイシェルなどに滞在経験があり、趣味は、旅行の他、読書、乗馬、歌唱、ヨガ。2022年夏よりヴィーガン。幼少時から日本文化に興味を持ち、アニメや村上春樹のファンで、来日を夢見ている。

西田 孝広
Takaxіро Нішида

1965年、福岡県北九州市生まれ。上智大学外国語学部英語学科卒業後、ニューヨーク市立大学ブルックリン校で美術、スタンフォード大学で東アジア研究の修士号を取得。2007年オレンジ革命後のキーウ、オデーサを訪問。『世界遺産の都へ「ラトビア」の魅力100』の監修、コラム執筆を担当した後、『北欧の小さな大国「スウェーデン」の魅力150』（ともに雷鳥社）を執筆するなど、東欧・北欧にも造詣が深い。創造的翻訳を探究するサイトTRANSCREATION®Lab.にコラム連載中。美術家としての活動のかたわら、国際プロジェクト・ファシリテーター、通訳者としても国内外で活躍。本書では、表紙画、挿絵も担当した。

コウノトリは、ウクライナでは神聖な鳥とされ、
春、家族、愛、平和などの象徴です。

サーシャ、ウクライナの話を聞かせて

2023年3月25日　初版第1刷発行

著者　オレクサンドラ・スクヴォルツォヴァ／西田孝広
　　　（Oleksandra Skvortsova, Takahiro Nishida）

発行者 安在美佐緒
発行所 雷鳥社
〒167-0043　東京都杉並区上荻2-4-12
TEL 03-5303-9766 ／ FAX 03-5303-9567
http://www.raichosha.co.jp ／ info@raichosha.co.jp
郵便振替　00110-9-97086

挿絵　　　西田孝広
デザイン　Paare'n（吉村雄大）
協力　　　小林美和子
印刷・製本　シナノ印刷株式会社
編集　　　益田光